C000276976

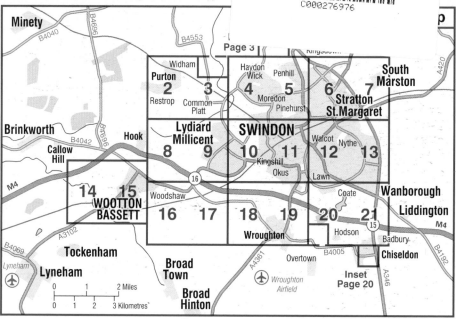

Reference

Motorway M4	**Built Up Area**	**Police Station** ▲
A Road A419	**Local Authority Boundary**	**Post Office** ★
Under Construction	**Postcode Boundary**	**Toilet** with Facilities for the Disabled ▽ ♿
B Road B4005	**Map Continuation** 3	**Educational Establishment**
Dual Carriageway	**Car Park** ℗	**Hospital or Health Centre**
One Way Street Traffic flow on A roads is indicated by a heavy line on the drivers' left. →	**Church or Chapel** †	**Industrial Building**
Pedestrianized Road	**Cycle Route** ⊶	**Leisure or Recreational Facility**
Restricted Access	**Fire Station** ■	**Places of Interest**
Track & Footpath	**Hospital** Ⓗ	**Public Building**
Residential Walkway	**Information Centre** 🛈	**Shopping Centre or Market**
Railway Level Crossing ✕ Station ■	**National Grid Reference** 415	**Other Selected Buildings**

Scale 4 Inches (10.16cm) to 1 Mile
1:15,840   6.31cm to 1 km

0   ¼   ½ Mile

0   250   500   750 Metres   1 Kilometre

Geographers' A-Z Map Company Limited

Head Office:
Fairfield Road, Borough Green, Sevenoaks, Kent TN15 8PP
Tel: 01732 781000 (General Enquiries & Trade Sales)

Showrooms:
44 Gray's Inn Road, London WC1X 8HX
Tel: 020 7440 9500 (Retail Sales)
www.a-zmaps.co.uk

Ordnance Survey® This product includes mapping data licensed from Ordnance Survey® with the permission of the Controller of Her Majesty's Stationery Office.
© Crown Copyright 2003. Licence number 100017302
EDITION 3 1999   EDITION 3A (part revision) 2003
Copyright © Geographers' A-Z Map Co. Ltd. 2003

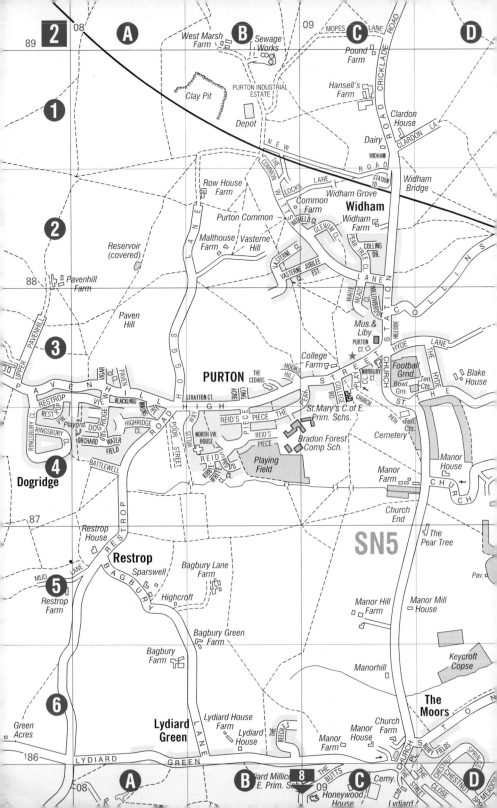

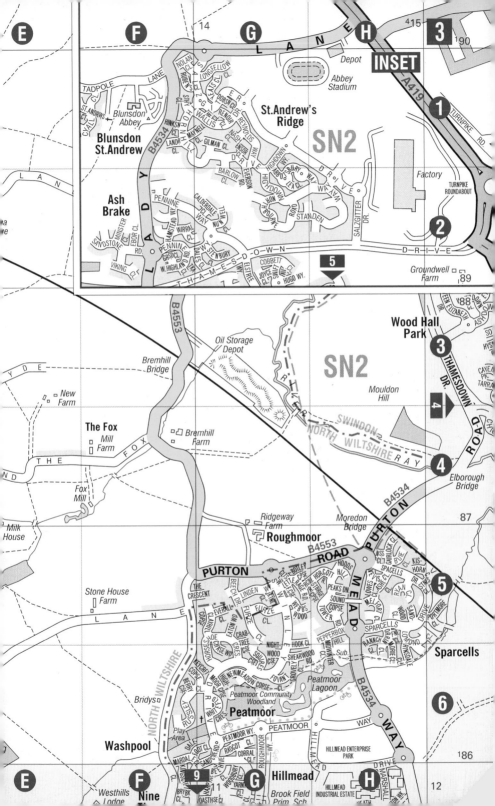

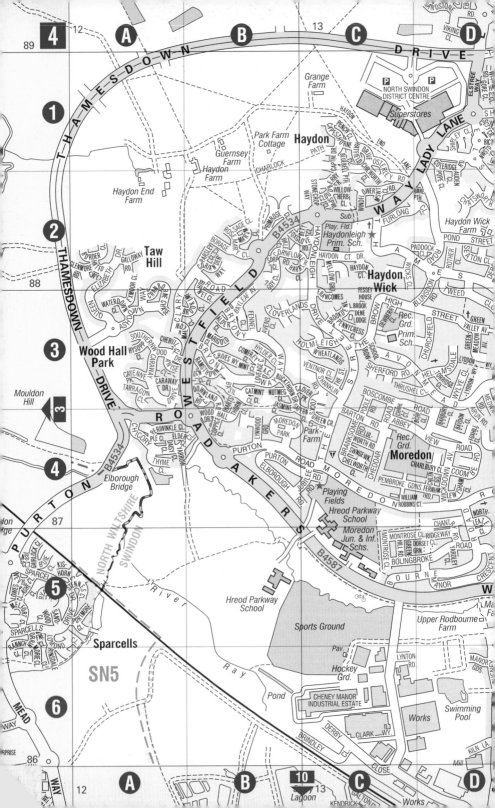

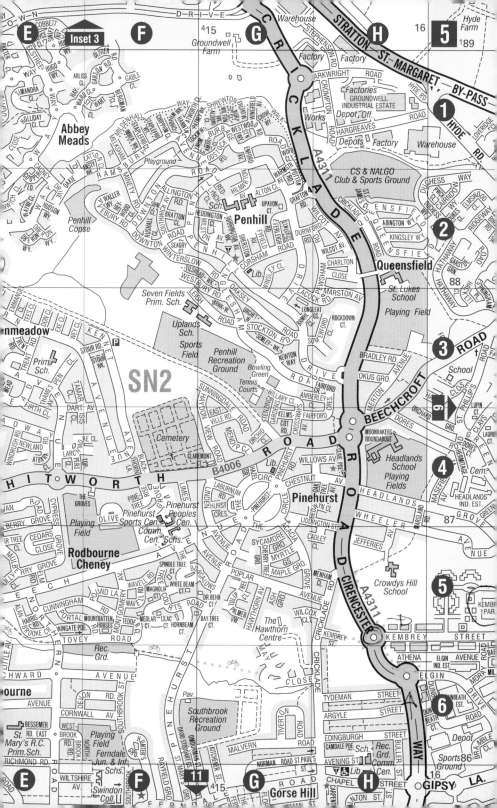

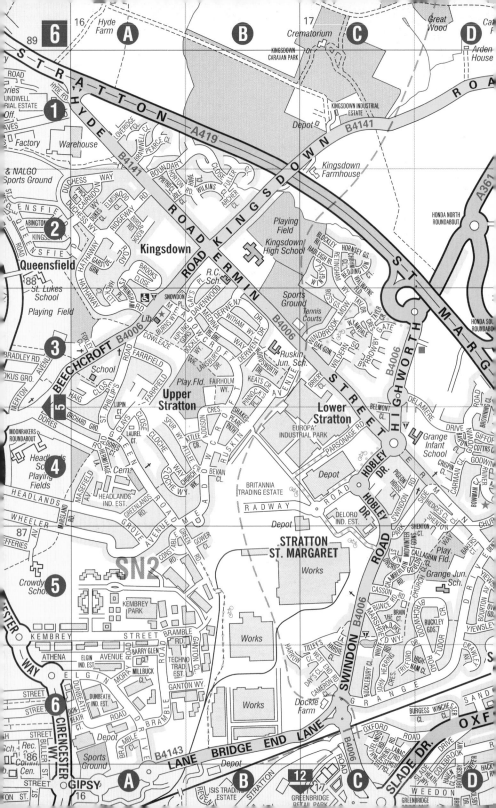

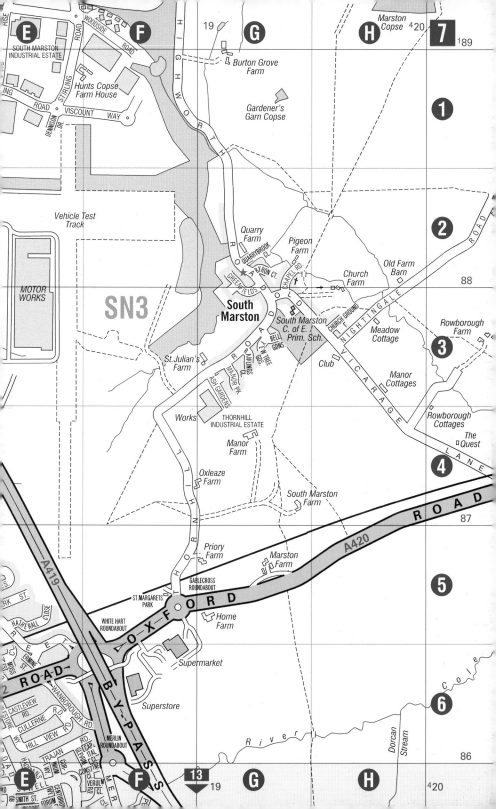

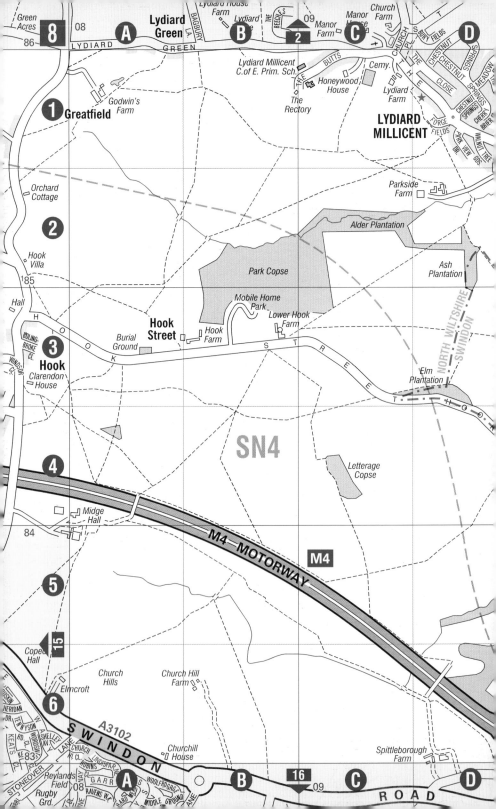

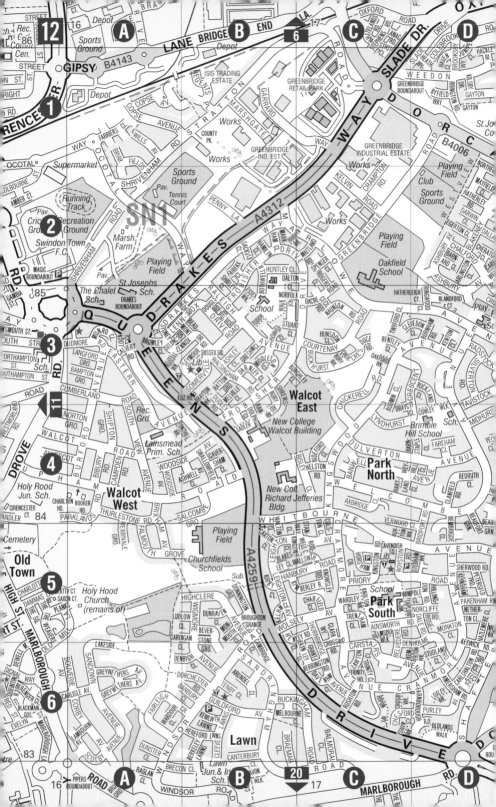

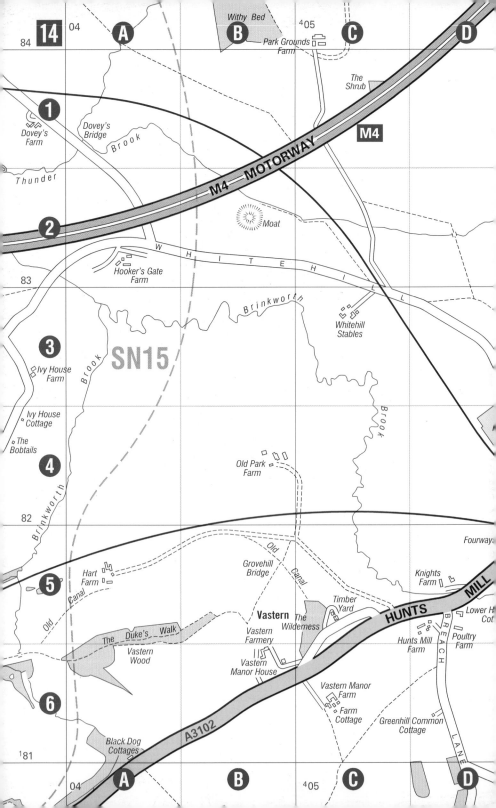

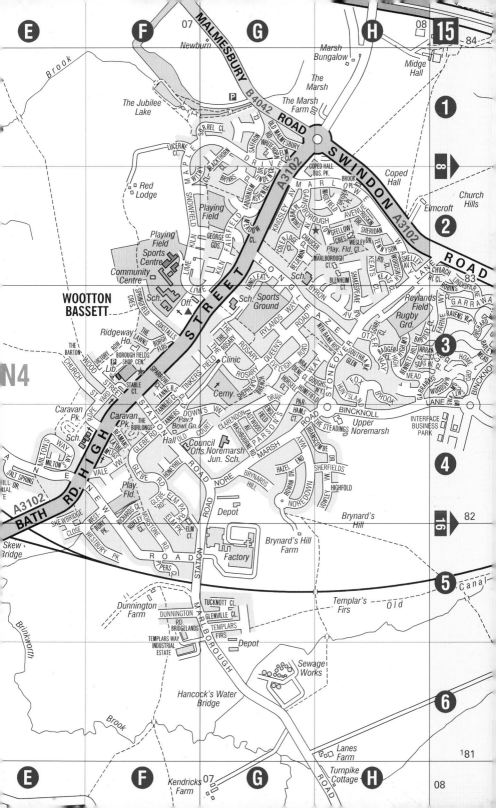

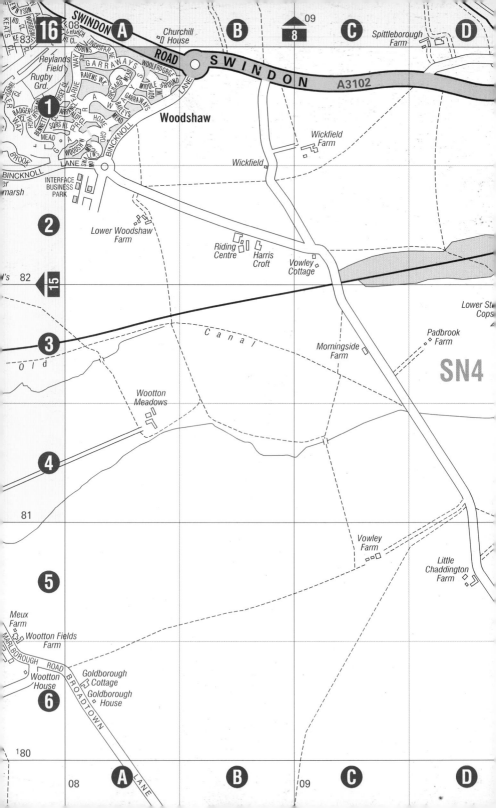

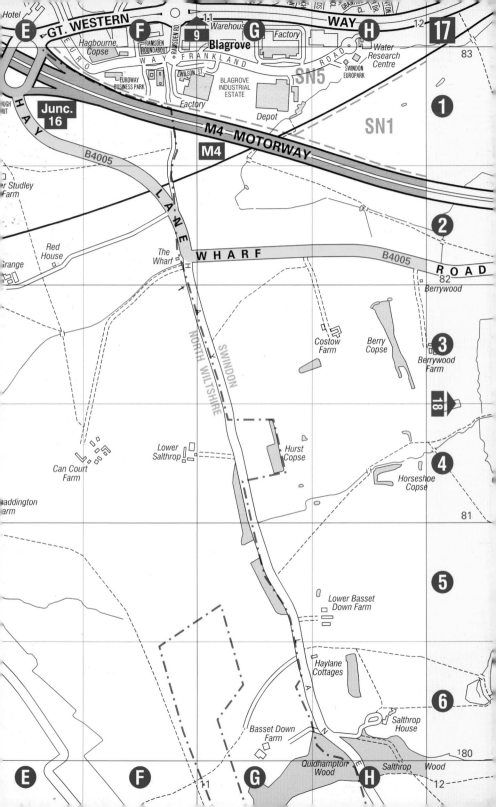

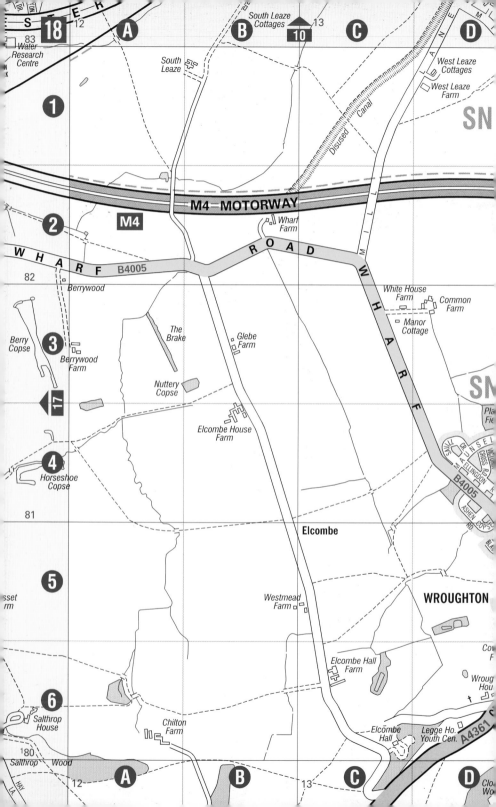

INDEX TO STREETS
Including Industrial Estates and a selection of Subsidiary Addresses.

HOW TO USE THIS INDEX

1. Each street name is followed by its Posttown or Postal Locality and then by its map reference;
e.g. Abbey Vw. Rd. *Swin* —4C **4** is in the Swindon Posttown and is to be found in square 4C on page **4**.
The page number being shown in bold type.
A strict alphabetical order is followed in which Av., Rd., St., etc. (though abbreviated) are read in full and as part of the street name; e.g. Beechcroft Rd. appears after Beech Av. but before Beech Dri.

2. Streets and a selection of Subsidiary names not shown on the Maps, appear in the index in *Italics* with the thoroughfare to which it is connected shown in brackets; e.g. *Avenell Ct. Swin* —2D **10** *(off Thomas St.)*

GENERAL ABBREVIATIONS

All : Alley
App : Approach
Arc : Arcade
Av : Avenue
Bk : Back
Boulevd : Boulevard
Bri : Bridge
B'way : Broadway
Bldgs : Buildings
Bus : Business
Cvn : Caravan
Cen : Centre
Chu : Church
Chyd : Churchyard
Circ : Circle
Cir : Circus
Clo : Close
Comn : Common
Cotts : Cottages
Ct : Court

Cres : Crescent
Cft : Croft
Dri : Drive
E : East
VIII : Eighth
Embkmt : Embankment
Est : Estate
Fld : Field
V : Fifth
I : First
IV : Fourth
Gdns : Gardens
Gth : Garth
Ga : Gate
Gt : Great
Grn : Green
Gro : Grove
Ho : House
Ind : Industrial
Junct : Junction

La : Lane
Lit : Little
Lwr : Lower
Mc : Mac
Mnr : Manor
Mans : Mansions
Mkt : Market
Mdw : Meadow
M : Mews
Mt : Mount
N : North
Pal : Palace
Pde : Parade
Pk : Park
Pas : Passage
Pl : Place
Quad : Quadrant
Res : Residential
Ri : Rise
Rd : Road

St : Saint
II : Second
VII : Seventh
Shop : Shopping
VI : Sixth
S : South
Sq : Square
Sta : Station
St : Street
Ter : Terrace
III : Third
Trad : Trading
Up : Upper
Va : Vale
Vw : View
Vs : Villas
Wlk : Walk
W : West
Yd : Yard

POSTTOWN AND POSTAL LOCALITY ABBREVIATIONS

Bad : Badbury
Bla : Blagrove
Blun : Blunsdon
Bri : Bridgemead
Bro T : Broad Town
Bro M : Broome Manor
Che M : Cheney Manor
Chi : Chiseldon
Coate : Coate
Dor : Dorcan
Eastl : Eastleaze
Elgin I : Elgin Ind. Est.
Fres : Freshbrook

Gran P : Grange Park
Gre I : Greenbridge Ind. Est.
G'mdw : Greenmeadow
Gro I : Groundwell Ind. Est.
Hawk T : Hawkesworth Trad. Est.
Hay W : Haydon Wick
Hill : Hillmead
Hook : Hook
Kem P : Kembrey Park
Lidd : Liddington
Lyd M : Lydiard Millicent
Mann : Mannington

Midd : Middleaze
Nine E : Nine Elms
Peat : Peatmoor
Pri T : Prinnels, The
Pur : Purton
Ram : Ramleaze
Rod C : Rodbourne Cheney
Shaw : Shaw
S Mar : South Marston
S Mars : South Marston Ind. Est.
Spar : Sparcells
Stra : Stratton

Stra S : Stratton St Margaret
Swin : Swindon
Tec T : Techno Trad. Est.
Toot : Toothill
Up Str : Upper Stratton
Wan : Wanborough
Westl : Westlea
Westm : Westmead
Woot B : Wootton Bassett
Wro : Wroughton

INDEX TO STREETS

Abbey Vw. Rd. *Swin* —4C **4**
Abbotsbury Way. *Hay W* —2G **3**
Abingdon Way. *Swin* —2H **5**
Abney Moor. *Swin* —1G **21**
Acacia Gro. *Swin* —5G **5**
Acorn Clo. *Swin* —4E **13**
Acorns, The. *Swin* —1C **20**
Addison Cres. *Swin* —4B **6**
Adwalton Clo. *Fres* —5H **9**
Affleck Clo. *Toot* —4A **10**
Ainsworth Rd. *Swin* —5C **12**
Akenfield Clo. *Swin* —2D **4**
Akers Way. *Swin* —4B **4**
Alanbrooke Cres. *Swin* —5E **5**
Alba Clo. *Midd* —1F **9**
Albert St. *Swin* —5H **11**
Albion St. *Swin* —4E **11**

Albourne Clo. *Swin* —1G **5**
Aldborough Clo. *Westl* —2A **10**
Alder Clo. *Swin* —3B **4**
Alderney Clo. *Woot B* —1A **16**
Alexandra Rd. *Swin* —2G **11**
Alfred St. *Swin* —2G **11**
Allington Rd. *Swin* —2F **5**
Alnwick. *Toot* —5H **9**
Alpine Clo. *Shaw* —2G **9**
Alvescot Rd. *Swin* —4H **11**
Alveston Clo. *Westl* —3B **10**
Amber Ct. *Swin* —2H **11**
Amberley Clo. *Swin* —3G **5**
Ambrose Rd. *Swin* —1G **19**
Amersham Rd. *Swin* —6D **12**
Amesbury Clo. *Swin* —1G **5**
Ancona Clo. *Ram* —2G **9**
Anderson Clo. *Swin* —6F **13**

Andover St. *Swin* —4E **11**
Angelica Clo. *Swin* —3B **4**
Angler Rd. *Shaw* —2H **9**
Anglesey Clo. *Westl* —3A **10**
Angus Clo. *Ram* —2H **9**
Anise Clo. *Swin* —3A **4**
Ansty Wlk. *Swin* —2F **5**
Anthony Rd. *Wro* —4E **19**
Applewood Ct. *Westl* —4B **10**
Archer Clo. *Swin* —2B **6**
Argyle St. *Swin* —6H **5**
Arkwright Rd. *Gro I* —1H **5**
Arley Clo. *Swin* —2E **5**
(in two parts)
Arlington Clo. *Swin* —2D **12**
Arliss Clo. *Hay W* —1E **5**
Armstrong St. *Swin* —2G **11**
Arnfield Moor. *Swin* —1G **21**

Arran Clo. *Woot B* —3H **15**
Arthur Bennet Ct. *Swin* —4D **10**
Artis Av. *Wro* —4F **19**
Arundel Clo. *Swin* —6B **12**
Arun Rd. *Swin* —4D **4**
Ascham Rd. *Gran P* —4G **9**
Ashburnham Clo. *Fres* —5G **9**
Ashbury Av. *Swin* —2D **12**
Ashdown Way. *Hay W* —3A **4**
Ashen Copse Rd. *Wro* —4D **18**
Ashford Rd. *Swin* —5F **11**
Ash Gdns. *S Mar* —3G **7**
Ash Gro. *Swin* —5G **5**
Ashie Clo. *Spar* —5H **3**
Ashington Roundabout. *Westl* —4A **10**
Ashington Way. *Westl* —4A **10**

22 A-Z Swindon

Ashley Clo. *Swin* —3B **12**
Ashmore Clo. *Swin* —3F **13**
Ashwell Clo. *Swin* —4B **12**
Ashworth Rd. *Bri* —3C **10**
Askew Clo. *Gran P* —4F **9**
Aspen Clo. *Woot B* —2G **15**
Aspen Ct. *Swin* —3G **11**
Atbara Clo. *Swin* —4E **5**
Athena Av. *Elgin I* —6H **5**
Atlee Cres. *Swin* —4B **6**
Atworth Clo. *Swin* —1F **5**
Auden Clo. *Hay W* —2D **4**
Austin Cres. *Swin* —5F **13**
Avebury Rd. *Swin* —2F **5**
Avenell Ct. *Swin* —2D **10**
(off Thomas St.)
Avening St. *Swin* —6H **5**
Avens Clo. *Swin* —3B **4**
Avenue Rd. *Swin* —5G **11**
Avocet Clo. *Swin* —3G **13**
Avonmead. *Swin* —3C **4**
Axbridge Clo. *Swin* —4C **12**
Axis Bus. Cen. *Westm* —2B **10**
Aylesbury St. *Swin* —2G **11**
Aymer Pl. *Swin* —4E **13**
Ayrshire Clo. *Shaw* —2H **9**
Azelin Ct. *Swin* —4D **6**

Babington Pk. *Gran P* —4F **9**
Badbury Rd. *Chi* —6G **21**
Badger Clo. *Woot B* —3H **15**
Bagbury La. *Pur* —5A **2**
Baileys Mead. *Woot B* —1A **16**
Baileys Way. *Wro* —4F **19**
Bainbridge Clo. *Gran P* —4G **9**
Baird Clo. *Shaw* —1H **9**
Baker Gdns. *Swin* —2F **13**
Bakers Ct. *Stra S* —5D **6**
Bakers Rd. *Wro* —6F **19**
Baldwin Clo. *Chi* —5A **20**
Bale Clo. *Gran P* —4F **9**
Balmoran Clo. *Swin* —6C **12**
Bampton Gro. *Swin* —3A **12**
Banbury Clo. *Swin* —6B **12**
Bancroft Clo. *Gran P* —4F **9**
Bankfoot Clo. *Shaw* —2H **9**
Bankside. *Swin* —5D **10**
Banwell Av. *Swin* —4C **12**
Barbury Clo. *Swin* —4D **4**
Barcelona Cres. *Wro* —4E **19**
Bardsey Clo. *Woot B* —3H **15**
Barkstead Clo. *Fres* —5H **9**
Barlow Clo. *Hay W* —2G **3**
Barnard Clo. *Swin* —2D **12**
Barnfield Clo. *Swin* —2D **10**
Barnfield Rd. *Swin* —2C **10**
Barnmoor Clo. *Swin* —6G **13**
Barnstaple Clo. *Swin* —4D **12**
Barnum Ct. *Swin* —2E **11**
Baron Clo. *Stra* —4D **6**
Barrett Way. *Wro* —5E **19**
Barrington Clo. *Swin* —6F **13**
Barrowby Ga. *Swin* —3C **6**
Barry Glen Clo. *Swin* —6A **6**
Barton Rd. *Swin* —4C **4**
Barton, The. *Woot B* —3E **15**
Basil Clo. *Swin* —3B **4**
Basingstoke Clo. *Fres* —5G **9**

Baskerville Rd. *Swin* —2G **13**
Bathampton St. *Swin* —3E **11**
Bath Rd. *Swin* —5F **11**
Bath Rd. *Woot B* —5E **15**
Bathurst Rd. *Swin* —3H **11**
Battlewell. *Pur* —4A **2**
Baxter Clo. *Swin* —1E **5**
Baydon Clo. *Swin* —4D **4**
Bayleaf Av. *Swin* —3B **4**
Bay Tree Ct. *Swin* —5G **5**
Beacon Clo. *Swin* —5D **10**
Beales Clo. *Swin* —2F **11**
Beamans La. *Woot B* —4F **15**
Beatrice St. *Swin* —1G **11**
Beatty Ct. *Swin* —5H **11**
Beauchamp Clo. *Swin* —4D **4**
Beaufort Grn. *Swin* —4D **12**
(in two parts)
Beaufort Rd. *Wro* —4E **19**
Beaulieu Clo. *Toot* —5B **10**
Beaumaris Rd. *Toot* —4H **9**
Beaumont Clo. *Swin* —3B **12**
Beckhampton St. *Swin*
—3G **11**
Beddington Ct. *Swin* —2C **6**
Bedford Rd. *Swin* —3B **12**
Bedwyn Clo. *Swin* —4H **5**
Beech Av. *Swin* —5E **5**
Beechcroft Rd. *Swin* —4H **5**
Beech Dri. *Swin* —5G **3**
Beeches, The. *Lyd M* —6B **2**
Beehive Clo. *Nine E* —1G **9**
Belgrave St. *Swin* —4G **11**
Belle Vue Rd. *Swin* —5H **11**
Bell Gdns. *S Mar* —3G **7**
Bellver. *Toot* —4H **9**
Belmont Clo. *Swin* —4C **6**
Belmont Cres. *Swin* —6F **11**
Belsay. *Toot* —5A **10**
Belvedere Rd. *Swin* —6C **12**
Bembridge Clo. *Swin* —5D **12**
Bennett Hill Clo. *Woot B*
—3H **15**
Bentley Clo. *Swin* —3C **12**
Benwell Clo. *Westl* —3A **10**
Berenger Clo. *Swin* —6H **11**
Beresford Clo. *Swin* —4E **19**
Bergman Clo. *Hay W* —1F **5**
Bericot La. *Bad* —4G **21**
(in two parts)
Berkeley Ho. *Swin* —3F **11**
(off Milton Rd.)
Berkeley Lawns. *Swin* —6B **12**
Berkeley Rd. *Swin* —6B **12**
Berkshire Dri. *Shaw* —2G **9**
Berrington Rd. *Swin* —6C **12**
Berry Copse. *Peat* —6F **3**
Berwick Way. *Swin* —3G **5**
Bessember Clo. *Swin* —6E **5**
Bessemer Rd. E. *Swin* —6E **5**
Bessemer Rd. W. *Swin* —6D **4**
Bess Rd. *Gran P* —5F **9**
Betjeman Av. *Woot B* —2G **15**
Betony Clo. *Hay W* —2C **4**
Bevan Clo. *Swin* —4B **6**
Beverley. *Toot* —5A **10**
Beverstone Gro. *Swin* —5B **12**
Bevil. *Fres* —6G **9**
Bevisland. *Swin* —6E **13**
Bibury Rd. *Swin* —4A **12**

Bicton Rd. *Hay W* —1D **4**
Bideford Clo. *Swin* —4C **12**
Bincknoll La. *Woot B* —4H **15**
Bindon Clo. *Gran P* —4G **9**
Birches, The. *Swin* —1C **20**
Birch St. *Swin* —4D **10**
Birchwood Rd. *Swin* —5D **6**
Birdbrook Rd. *Swin* —2A **6**
Birdcombe Rd. *Westl* —4A **10**
Bishopdale Clo. *Nine E* —1G **9**
Bisley Clo. *Swin* —4C **12**
Bittern Rd. *Swin* —3G **13**
Blacklands. *Pur* —3A **2**
Blackman Gdns. *Swin* —6H **11**
Blackmore Clo. *Swin* —2G **13**
Blackstone Av. *Swin* —5E **13**
Blackthorn Clo. *Woot B*
—2G **15**
Blackthorn La. *Swin* —4F **5**
Bladen Clo. *Wro* —5D **18**
Blagrove Ind. Est. *Bla* —1G **17**
Blagrove Roundabout. *Bla*
—6F **9**
Blair Pde. *Swin* —4D **4**
Blake Cres. *Swin* —5E **7**
Blakeney Av. *Swin* —2D **12**
Blakesley Clo. *Swin* —5B **12**
Blandford Ct. *Swin* —3D **12**
Blenheim Ct. *Woot B* —2H **15**
Blenheim Rd. *Wro* —4E **19**
Bletchley Clo. *Swin* —5E **13**
Blockley Ri. *Swin* —2C **6**
Bloomsbury Clo. *Fres* —5G **9**
Bluebell Path. *Hay W* —1C **4**
Blunsdon Rd. *Hay W* —2D **4**
(in two parts)
Bodiam Dri. *Toot* —6A **10**
Bodiam Dri. N. *Toot* —4B **10**
Bodiam Dri. S. *Toot* —5B **10**
Bodmin Clo. *Swin* —4C **12**
Boldrewood. *Swin* —6F **13**
Boleyn Clo. *Gran P* —3G **9**
Bolingbroke Ho. *Hook* —3A **8**
Bolingbroke Rd. *Swin* —5C **4**
Boness Rd. *Wro* —4E **19**
Bonner Clo. *Gran P* —4F **9**
Booker Ho. *Swin* —4A **12**
Borage Clo. *Swin* —2B **4**
Border Clo. *Swin* —2A **4**
Borough Fields. *Woot B*
—3F **15**
Borough Fields Shop. Cen.
Woot B —3F **15**
Boscombe Rd. *Swin* —3C **4**
Bosham Clo. *Toot* —5H **9**
Bosworth Rd. *Gran P* —4G **9**
Bothwell Rd. *Swin* —3B **12**
Botley Copse. *Peat* —5G **3**
Boundary Clo. *Swin* —2A **6**
Bourne Rd. *Swin* —5C **4**
Bourton Av. *Swin* —5D **6**
Bouverie Av. *Swin* —6A **12**
Bow Ct. *Swin* —5G **11**
Bowleymead. *Swin* —4F **13**
(in two parts)
Bowling Grn. La. *Swin* —6G **11**
Bowman Clo. *Stra* —4D **6**
Bowood Rd. *Swin* —5E **11**
Boydell Clo. *Shaw* —1H **9**
Bradene Clo. *Woot B* —3G **15**

Bradenham Rd. *Gran P* —4G **9**
Bradford Rd. *Swin* —5G **11**
Bradley Rd. *Swin* —3H **5**
Bradwell Moor. *Swin* —1F **21**
Braemar Clo. *Swin* —6B **12**
Brain Ct. *Swin* —5C **6**
Bramble Clo. *Swin* —6A **6**
Bramble Rd. *Tec T* —5A **6**
Bramdean Clo. *Hay W* —2D **4**
(off Elstree Way)
Bramptons, The. *Shaw* —2H **9**
Bramwell Clo. *Swin* —1A **6**
Brandon Clo. *Gran P* —4G **9**
Branksome Rd. *Swin* —4C **4**
Branscombe Dri. *Woot B*
—4G **15**
Bratton Clo. *Swin* —2F **5**
Bray Brook Clo. *Nine E* —1F **9**
Braydon Ct. *Swin* —2G **5**
(off Penhill Dri.)
Breach La. *Woot B* —5D **14**
Brecon Clo. *Swin* —1A **20**
Bremhill Clo. *Swin* —3G **5**
Brendon Wlk. *Swin* —3D **12**
Brettingham Ga. *Swin* —3B **20**
Briar Fields. *Swin* —1A **12**
Briarswood Ct. *Swin* —6F **13**
Bri. End La. *Swin* —6B **6**
Bridge Ho. *Swin* —3F **11**
(off Faringdon Rd.)
Bridgelands. *Woot B* —5F **15**
Bridgeman Clo. *Swin* —5D **6**
Bridgemead Clo. *Westm*
—3B **10**
Bridge St. *Swin* —3F **11**
Bridgewater Clo. *Swin* —2E **11**
Bridport Rd. *Swin* —5D **12**
Briery Clo. *Swin* —3C **6**
Bright St. *Swin* —1H **11**
Brimble Hill. *Wro* —6G **19**
Brind Clo. *Swin* —3G **13**
Brindley Clo. *Che M* —6C **4**
Brington Rd. *Swin* —1D **12**
Bristol St. *Swin* —3E **11**
Britannia Pl. *Swin* —5H **11**
Brittania Trad. Est. *Swin*
—4B **6**
Brixham Av. *Swin* —4A **12**
Broad Bri. *Swin* —2F **11**
Broadmead Wlk. *Swin* —2D **12**
Broad St. *Swin* —2G **11**
Broadtown La. *Bro T* —6A **16**
Broadway. *Swin* —4E **5**
Bromley Clo. *Swin* —3A **12**
Bronte Clo. *Swin* —5F **13**
Brookdene. *Hay W* —3C **4**
Brook Dene Lodge. *Swin*
—3C **4**
Brooklands Av. *Swin* —6D **4**
Brook Lime Clo. *Swin* —3B **4**
Brookmeadow Cvn. Pk. *Wro*
—6E **19**
Brook Pl. *Woot B* —2H **15**
Brooksby Way. *Swin* —1D **12**
Brooks Clo. *Swin* —2A **6**
Broombe Mnr. La. *Swin*
—1A **20**
Broughton Grange. *Swin*
—5B **12**
Browning Clo. *Stra* —4D **6**

Coronation Rd. *Wro* —5E **19**
Corporation St. *Swin* —2G **11**
Corral Clo. *Nine E* —6G **3**
Corsham Rd. *Swin* —2G **5**
Corton Cres. *Eastl* —3H **9**
Cottars Clo. *Stra* —4D **6**
Cottington Clo. *Fres* —5G **9**
County Pk. *Swin* —1B **12**
County Rd. *Swin* —2H **11**
Courtenay Rd. *Swin* —3C **12**
Courtsknap Ct. *Swin* —4E **11**
(in two parts)
Coventry Clo. *Wro* —4F **19**
Covingham Dri. *Swin* —2E **13**
Covingham Sq. *Swin* —2E **13**
Cowdrey Clo. *Toot* —5H **9**
Cowleaze Cres. *Swin* —5D **18**
Cowleaze Wlk. *Swin* —3A **6**
Cowley Wlk. *Swin* —4D **12**
Coxstalls. *Woot B* —3F **15**
Crabtree Copse. *Peat* —6G **3**
Crampton Rd. *Swin* —2C **12**
Cranborne Chase. *Swin* —3A **4**
Cranmore Av. *Swin* —5C **12**
Crawford Clo. *Fres* —5G **9**
Crawley Av. *Swin* —6D **6**
Crescent, The. *Chi* —6A **20**
Crescent, The. *Swin* —5F **3**
Cricklade Rd. *Pur* —1C **2**
Cricklade St. *Swin* —5H **11**
Crieff Clo. *Swin* —3D **12**
Crispin Clo. *Stra* —4D **6**
Croft Rd. *Swin* —2G **19**
Croft Roundabout. *Swin*
—2G **19**
Crombey St. *Swin* —4F **11**
Cromer Ct. *Swin* —6F **13**
Crompton Rd. *Swin* —1H **5**
Cromwell. *Fres* —6H **9**
Crosby Av. *Swin* —6A **12**
Crosby Wlk. *Swin* —6C **12**
Cross St. *Swin* —4G **11**
Crossways Av. *Swin* —4G **5**
Crosswood Rd. *Swin* —6C **12**
Crudwell Way. *Swin* —1G **5**
Cuckoo's Mead. *Swin* —2G **13**
Cullerne Rd. *Swin* —6E **7**
Cumberland Rd. *Swin* —3A **12**
Cunetio Rd. *Swin* —1E **13**
Cunningham Rd. *Swin* —5E **5**
Curnicks, The. *Chi* —5A **20**
Currier Ri. *Woot B* —4G **15**
Curtis St. *Swin* —4F **11**
Cyall Clo. *Swin* —1F **3**
Cypress Gro. *Swin* —4E **5**

Dacre Rd. *Swin* —3C **12**
Daisy Clo. *Swin* —4A **4**
Dalefoot Clo. *Nine E* —6F **3**
Dales Clo. *Swin* —2G **3**
Dallas Av. *Swin* —2D **12**
Dalton Clo. *Swin* —2B **12**
Dalwood Clo. *Swin* —6D **12**
Dammas La. *Swin* —5H **11**
Danestone Clo. *Midd* —2F **9**
Daniel Gooch Ho. *Swin*
(off Rodbourne Rd.) —2D **10**
Daniels Ct. Chi —5A **20**
(off Dewey Clo.)

Darcey Clo. *Gran P* —3F **9**
Darius Way. *Swin* —1E **5**
Darnley Rd. *Swin* —3B **12**
Dart Av. *Swin* —4E **5**
Dartmoor Clo. *Swin* —5D **10**
Darwin Clo. *Swin* —2D **12**
Davenham Clo. *Swin* —6C **12**
Davenwood. *Swin* —3B **6**
David Murray John Building.
(off Queen St.) Swin —3F 11
David Stoddart Gdns. *Swin*
—6F **5**
Davis Ho. Swin —3G 11
(off Turl St.)
Davis Pl. *Swin* —3F **11**
Dawlish Rd. *Swin* —4D **12**
Day Ho. La. *Coate* —1D **20**
Day's Clo. *Swin* —6C **6**
Deacon St. *Swin* —4F **11**
Dean St. *Swin* —4D **10**
Deben Cres. *Swin* —2D **4**
Deburgh St. *Swin* —3D **10**
Deerhurst Way. *Toot* —5B **10**
Delamere Dri. *Stra* —3C **6**
Deloro Ind. Est. *Swin* —4C **6**
Delta Bus. Pk. *Swin* —3B **10**
Denbeck Wood. *Eastl* —3H **9**
Denbigh Clo. *Swin* —6A **12**
Denholme Rd. *Swin* —6C **12**
Dennison Ct. *Spar* —5H **3**
Denton Ct. *Swin* —5D **6**
Derby Clo. *Swin* —6C **4**
Derryck Evans Ho. *Swin*
—5G **13**
Derwent Dri. *Swin* —3B **6**
(in two parts)
Desborough. *Fres* —6G **9**
Deva Clo. *Swin* —1F **13**
Devereux Clo. *Gran P* —4F **9**
Devizes Rd. *Swin* —5H **11**
Devizes Rd. *Wro* —5F **19**
Devon Rd. *Swin* —6E **5**
Dewberry Clo. *Hay W* —3C **4**
Dewell M. *Swin* —6H **11**
Dewey Clo. *Chi* —5A **20**
Dexter Clo. *Shaw* —2H **9**
Dickens Clo. *Swin* —6F **13**
Dinmore Clo. *Swin* —1D **4**
Dixon St. *Swin* —4F **11**
Dobbin Clo. *Swin* —2G **13**
Dobson Clo. *Hay W* —1G **3**
Dockle Way. *Swin* —3B **6**
Doctor Behr Ct. *Swin* —5G **5**
Dogridge. *Pur* —4A **2**
Dolley Ct. *Swin* —2C **10**
Dolley La. *Hay W* —2C **4**
Don Clo. *Swin* —3E **5**
Donnington Gro. *Swin* —5B **12**
Dorcan Complex, The *Swin*
—4G **13**
Dorcan Way. *Swin* —1D **12**
Dorchester Rd. *Swin* —6B **12**
Dores Ct. *Swin* —4A **6**
Dores Rd. *Swin* —4H **5**
Dorset Grn. *Swin* —5D **4**
Douglas Rd. *Swin* —3B **12**
Dover St. *Swin* —4G **11**
Dovetrees. *Swin* —2F **13**
Dowling St. *Swin* —4G **11**
Downland Rd. *Swin* —3B **4**

Downs Rd. *Chi* —5B **20**
Downs Vw. *Lyd M* —1D **8**
Down's Vw. *Woot B* —4F **15**
Downs Vw. Rd. *Swin* —1B **20**
Downton Rd. *Swin* —2F **5**
Drakes Roundabout. *Swin*
—3A **12**
Drakes Way. *Swin* —3A **12**
Draycott Clo. *Swin* —4C **12**
Draycott Rd. *Chi* —6A **20**
Drayton Wlk. *Swin* —3B **12**
Drew St. *Swin* —2C **10**
Dri. Roundabout, The. *Swin*
—3F **13**
Drive, The. *Swin* —2D **12**
Drove Rd. *Swin* —4H **11**
Dryden Pl. *Woot B* —2H **15**
Dryden St. *Swin* —4F **11**
Duce Cotts. *Swin* —5F **5**
Duchess Way. *Swin* —2H **5**
Dudley Rd. *Swin* —3B **12**
Dudmore Rd. *Swin* —3A **12**
Dukes Clo. *Swin* —2A **6**
Dulverton Av. *Swin* —4C **12**
Dumbarton Ter. *Swin* —4G **11**
Dunbar Rd. *Wro* —4E **19**
Dunbeath Ct. *Elgin I* —6A **6**
Dunbeath Rd. *Elgin I* —6A **6**
Dunnington Rd. *Woot B*
—5F **15**
Dunraven Clo. *Swin* —5B **12**
Dunsford Clo. *Swin* —5D **10**
Dunster Clo. *Swin* —6A **12**
Dunwich Dri. *Toot* —4B **10**
Durham St. *Swin* —4G **11**
Durnford Rd. *Swin* —2G **5**
Durrington Wlk. *Swin* —2G **5**
Dyke M. *Chi* —5A **20**

Eagle Clo. *Swin* —2G **13**
Earl Clo. *Midd* —2F **9**
Eastcott Hill. *Swin* —4G **11**
(in two parts)
Eastcott Rd. *Swin* —5G **11**
Eastern Av. *Swin* —3A **12**
Eastleaze Rd. *Eastl* —3A **10**
Eastleaze Roundabout. *Eastl*
—3A **10**
Eastmere. *Swin* —6F **13**
East St. *Swin* —3F **11**
Eastville Rd. *Swin* —4G **5**
Eastwood Av. *Woot B* —4G **15**
Eaton Clo. *Swin* —6C **12**
Eaton Wood. *Peat* —5G **3**
Ebor Clo. *Swin* —2F **3**
Eccleston Clo. *Swin* —6D **12**
Ecklington *Swin* —4E **13**
Edale Moor. *Swin* —6G **13**
Edgar Row Clo. *Wro* —5E **19**
Edgehill. *Fres* —6H **9**
Edgeware Rd. *Swin* —3G **11**
Edgeworth Clo. *Shaw* —2A **10**
Edinburgh St. *Swin* —6H **5**
Edington Clo. *Toot* —4H **9**
Edison Rd. *Dor* —4F **13**
Edison Roundabout. *Swin*
—4F **13**
Edmund St. *Swin* —4G **11**
Egerton Clo. *Swin* —2D **12**

Elborough Rd. *Swin* —4B **4**
Elcombe Av. *Wro* —5D **18**
Eldene Cen. *Swin* —5E **13**
Eldene Dri. *Swin* —5E **13**
Elder Clo. *Swin* —4A **4**
Elgin Dri. *Swin* —6A **6**
Eliot. *Swin* —6F **13**
Elizabeth Ho. *Swin* —3B **12**
Ellendune Cen. *Wro* —5E **19**
Ellingdon Rd. *Wro* —4D **18**
Elm Clo. *Woot B* —1G **15**
Elm Ct. *Woot B* —5F **15**
Elm Gro. *Nine E* —1G **9**
Elmina Rd. *Swin* —2G **11**
Elmore. *Swin* —4E **13**
Elm Pk. *Woot B* —4F **15**
Elm Rd. *Swin* —5E **5**
Elms, The. *Nine E* —1F **9**
Elmswood Clo. *Swin* —2A **6**
Elsham Way. *Swin* —2D **4**
Elsie Hazel Ct. *Fres* —5G **9**
Elstree Way. *Hay W* —1D **4**
Ely Clo. *Toot* —5A **10**
Emlyn Sq. *Swin* —3F **11**
Emmanuel Clo. *Swin* —3E **5**
Enford Av. *Swin* —1G **5**
Englefield. *Woot B* —4G **15**
Ensor Clo. *Hay W* —1G **3**
Eric Long Clo. *Swin* —5F **13**
Erlestoke Way. *Swin* —1G **5**
Ermine St. *Swin* —6E **7**
Ermin St. *Blun* —2B **6**
Eshton Wlk. *Swin* —6C **12**
Espringham Ho. Swin —3A 6
(off Hathaway Rd.)
Espringham Pl. *Swin* —2A **6**
Essex Wlk. *Swin* —3B **12**
Euclid St. *Swin* —3G **11**
Europa Ind. Pk. *Swin* —4B **6**
Euro Way. *Bla* —1E **17**
Euroway Bus. Pk. *Bla* —1F **17**
Eveleigh Rd. *Woot B* —3G **15**
Evelyn St. *Swin* —6H **11**
Everall Way. *Wro* —4F **19**
Evergreen Clo. *Swin* —6E **7**
Eversleigh Rd. *Swin* —2G **5**
Everson Clo. *Swin* —5D **4**
Eworth Clo. *Gran P* —4F **9**
Exe Clo. *Swin* —3E **5**
Exeter St. *Swin* —3E **11**
Exmoor Clo. *Hay W* —3A **4**
Exmouth St. *Swin* —4E **11**

Fairfax Clo. *Swin* —2B **12**
Fairfield. *Woot B* —2G **15**
Fairford Cres. *Swin* —4G **5**
Fairholm Way. *Swin* —3B **6**
Fairlawn. *Swin* —6F **13**
Fairleigh Cres. *Swin* —6A **12**
Fair Vw. *Swin* —4F **11**
Falcon Ho. *Swin* —3G **11**
Falconscroft. *Swin* —1E **13**
Falkirk Rd. *Wro* —4E **19**
Falmouth Gro. *Swin* —5A **12**
Fanstones Rd. *Swin* —5E **13**
Faraday Rd. *Dor* —5G **13**
Fareham Clo. *Swin* —4D **12**
Faringdon Rd. *Swin* —4E **11**
Farman Clo. *Swin* —5E **13**

Farnborough Rd. *Swin*
—6D **12**
Farne Way. *Woot B* —1A **16**
Farrfield. *Swin* —3A **6**
Farriers Clo. *Swin* —1A **12**
Farsby St. *Swin* —3F **11**
Feather Wood. *Westl* —4B **10**
Fenland Rd. *Midd* —1F **9**
Fennel Clo. *Swin* —3B **4**
Ferndale Rd. *Swin* —1D **10**
Fernham Rd. *Swin* —4D **4**
Ferns, The. *Swin* —1G **11**
Ferrers Dri. *Gran P* —5F **9**
Fessey Ho. *Swin* —3C **4**
Fieldfare. *Swin* —2F **13**
Field Ri. *Swin* —6E **11**
Finchdale. *Swin* —1F **13**
Firecrest Vw. *Dor* —3G **13**
Firth Clo. *Swin* —4E **5**
Fir Tree Clo. *Swin* —5E **5**
Fitzmaurice Clo. *Swin* —2F **13**
Fitzroy Rd. *Swin* —1G **19**
Fiveways Roundabout. *Eastl*
—3H **9**
Fleet St. *Swin* —3F **11**
Fleetwood Ct. *Fres* —6G **9**
Fleming Way. *Swin* —3G **11**
Flint Hill. *Toot* —5A **10**
Florence St. *Swin* —1G **11**
Folkestone Rd. *Swin* —5F **11**
Fonthill Wlk. *Swin* —4A **12**
Ford St. *Swin* —4E **11**
Forester Ct. *Swin* —5F **13**
Forge Fld. *Lyd M* —1D **8**
Forsey Clo. *Swin* —2G **13**
Forum Clo. *Swin* —1E **13**
Forum, The. *Westl* —4A **10**
Fosse Clo. *Swin* —3D **10**
Fouracre Way. *Swin* —6C **12**
Fovant Clo. *Peat* —6G **3**
Fowey. *Fres* —6G **9**
Foxbridge. *Swin* —2F **13**
Fox Brook. *Woot B* —3H **15**
Foxglove Rd. *Hay W* —2B **4**
Foxhill Clo. *Swin* —4D **4**
Foxley Clo. *Swin* —3A **6**
Fox, The. *Pur* —4E **3**
Fox Wood. *Westl* —4B **10**
Frampton Clo. *Eastl* —3H **9**
Francomes. *Hay W* —3C **4**
Frankland Rd. *Bla* —1F **17**
Frankton Gdns. *Swin* —5D **6**
Fraser Clo. *Swin* —5F **11**
Freshbrook Roundabout. *Fres*
—5G **9**
Freshbrook Way. *Toot* —5H **9**
Friesian Clo. *Shaw* —2G **9**
Friesland Clo. *Shaw* —2G **9**
Frilford Dri. *Swin* —6C **6**
Frith Copse. *Peat* —5G **3**
Fritillary Ct. Swin —3H 11
(off Portsmouth St.)
Frobisher Dri. *Swin* —3B **12**
Frome Rd. *Swin* —3D **4**
Fry Clo. *Swin* —5D **10**
Fuller Clo. *Swin* —2B **6**
Fullerton Wlk. *Swin* —5D **10**
Furlong Clo. *Hay W* —2C **4**
Furze Clo. *Peat* —5G **3**

Gable Clo. *Hay W* —1F **5**
Gablecross Roundabout *Swin*
—5F **7**
Gainsborough Av. *Woot B*
—2G **15**
Gainsborough Ct. *Fres* —4G **9**
Gainsborough Way. *Fres*
—4G **9**
Gairlock Clo. *Spar* —5H **3**
Galloway Clo. *Shaw* —2G **9**
Galloway Rd. *Swin* —2A **4**
Galsworthy Clo. *Swin* —5F **13**
Galton Way. *Swin* —1C **10**
Galvert Rd. *Swin* —3A **12**
Gambia St. *Swin* —3H **11**
Gantlettdene. *Swin* —3G **13**
Ganton Clo. *Swin* —6B **6**
Ganton Way. *Tec T* —6A **6**
Garfield Clo. *Swin* —6E **13**
Garrard Way. *Swin* —1B **12**
(in two parts)
Garraways. *Woot B* —4H **15**
Garside Pl. *Swin* —1G **5**
Garson Rd. *Hay W* —1F **5**
Gartons Rd. *Midd* —2F **9**
Gaynor Clo. *Swin* —1E **5**
Gay's Pl. *Swin* —3B **6**
Gayton Way. *Swin* —1D **12**
George Gay Gdns. Swin
(off Wolsely Av.) —5B **12**
George Rd. *Swin* —6E **7**
George St. *Swin* —4E **11**
George Tweed Gdns. *Shaw*
—1G **9**
Gerard Wlk. *Gran P* —3G **9**
Gibbs Clo. *Swin* —2G **13**
Gifford Rd. *Swin* —4D **6**
Gilling Way. *Swin* —3F **13**
Gilman Clo. *Hay W* —1G **3**
Gipsy La. *Swin* —1A **12**
Gladstone St. *Swin* —2G **11**
Gladys Plum Gdns. Swin
(off Carpenters La.) —1H **11**
Glebe Rd. *Woot B* —4F **15**
Glenmore Rd. *Swin* —2A **4**
Glenville Rd. *Woot B* —5G **15**
Glenwood Clo. *Swin* —1G **19**
Glevum Clo. *Pur* —2C **2**
Glevum Rd. *Swin* —6E **7**
Globe St. *Swin* —5G **11**
Gloucester St. *Swin* —2F **11**
Goddard Av. *Swin* —5F **11**
Godolphin Clo. *Fres* —6F **9**
Godwin Rd. *Stra* —4D **6**
Goldcrest Wlk. *Swin* —2G **13**
Goldsborough Clo. *Eastl*
—3H **9**
Gold Vw. *Swin* —5D **10**
Gooch St. *Swin* —2G **11**
Goodrich Ct. Toot —5A 10
(off Affleck Clo.)
Gordon Rd. *Swin* —3G **11**
Gore Clo. *Swin* —1D **4**
Goughs Way. *Woot B* —3H **15**
Goulding Clo. *Swin* —5C **6**
Gower Clo. *Gran P* —4F **9**

Gower Clo. *Swin* —5B **6**
Goy Dri. *Swin* —4E **11**
Goy La. *Stra* —6D **6**
Goy Pde. *Midd* —2F **9**
Grafton Rd. *Swin* —2G **5**
Graham St. *Swin* —2H **11**
Grailey Clo. *Swin* —5E **13**
Granary Clo. *Nine E* —1F **9**
Grandison Clo. *Pri T* —3G **9**
Grange Dri. *Swin* —6C **6**
Grange Pk. Way. *Gran P* —4F **9**
Grantham Clo. *Fres* —6H **9**
Grantley Clo. *Swin* —6C **12**
Granville St. *Swin* —4G **11**
Grasmere. *Swin* —6G **13**
Graythwaite Clo. *Hay W* —1D **4**
Gt. Western Outlet Village.
Swin —3E **11**
Gt. Western Way. *Bla* —6E **9**
Greenbridge Ind. Est. *Gre I*
—1B **12**
Greenbridge Retail Pk. *Swin*
—1C **12**
Greenbridge Rd. *Gre I* —2C **12**
Greenbridge Roundabout.
Gre I —1C **12**
Greenfields. *S Mar* —2G **7**
Greenhill Rd. *Swin* —5C **4**
Greenlands Rd. *Swin* —4A **6**
Greenmeadow Av. *Hay W*
—3D **4**
Green Rd. *Swin* —4A **6**
Greensand Clo. *Swin* —2F **3**
Green's La. *Wro* —6F **19**
Grn. Valley Av. *Hay W* —3D **4**
Greenway Clo. *Swin* —2D **12**
Greenwick Clo. *Swin* —2E **5**
Gresham Clo. *Swin* —3B **12**
Greywethers Av. *Swin* —6A **12**
Griffiths Clo. *Swin* —6D **6**
Grindal Dri. *Gran P* —4F **9**
Grosmont Dri. *Toot* —4H **9**
Grosvenor Rd. *Swin* —5E **11**
Groundwell Ind. Est. *Swin*
—1H **5**
Groundwell Rd. *Swin* —4G **11**
Grovelands Av. *Swin* —6G **11**
Grovely Clo. *Peat* —6G **3**
Groves St. *Swin* —3D **10**
Groves, The. *Swin* —4E **5**
Grunys. *Swin* —6F **13**
Guildford Av. *Swin* —6B **12**
Guild Ho. Swin —3F 11
(off Farnsby St.)
Guppy St. *Swin* —3D **10**

Hackett Clo. *Swin* —3A **6**
Hackleton Ri. *Swin* —1D **12**
Hackpen Clo. *Wro* —4F **19**
Haddon Clo. *Gran P* —5F **9**
Hadleigh Clo. *Westl* —3A **10**
Hadleigh Ri. *Stra S* —2C **6**
Hadrians Clo. *Swin* —1E **13**
Haig Clo. *Swin* —3A **6**
Halifax Clo. *Wro* —4E **19**
Hallam Clo. *Swin* —1G **21**
Hall Clo. *Wro* —5E **19**
Hall Gdns. *Up Str* —4A **6**
Hamble Rd. *Swin* —3D **4**

Hamilton Clo. *Swin* —2B **12**
Hampshire Clo. *Shaw* —2G **9**
Hampton Dri. *Gran P* —3F **9**
Hamstead Way. *Swin* —2F **3**
Hamworthy Rd. *Swin* —3E **13**
Hanbury Rd. *Swin* —5B **12**
Handel St. *Swin* —1G **11**
Hannington Clo. *Swin* —1F **5**
Hanson Clo. *Shaw* —1H **9**
Harbour Clo. *Swin* —4D **4**
Harcourt Rd. *Swin* —1E **11**
Hardie Clo. *Swin* —6C **6**
Harding St. *Swin* —3F **11**
Hardwich Ho. Swin —5G 11
(off Prospect Pl.)
Hardwick Clo. *Swin* —2E **5**
Harebell Clo. *Hay W* —2B **4**
Hare Clo. *Swin* —2B **6**
Hargreaves Rd. *Gro I* —1H **5**
Harlech Clo. *Toot* —5A **10**
Harold Thorpe Gdns. Swin
(off Middleton Clo.) —3B **12**
Harptree Clo. *Nine E* —1G **9**
Harriers, The. *Swin* —2E **13**
Harrington Wlk. *Swin* —2B **12**
Harris Rd. *Swin* —5E **5**
Harrow Clo. *Swin* —6B **6**
Hartland Clo. *Swin* —4C **12**
Hartsthorn Clo. *Swin* —4B **4**
Harvester Clo. *Midd* —1F **9**
Harvey Gro. *Swin* —5D **4**
Hastings Ct. *Wro* —5E **19**
Hatfield Clo. *Hay W* —1C **4**
Hatfield Way. *Swin* —2A **4**
Hathaway Rd. *Swin* —2A **6**
Hatherall Clo. *Stra S* —5E **7**
Hatherleigh Ct. *Swin* —3C **12**
Hatherley Rd. *Swin* —2D **12**
Hathersage Moor. *Swin*
—1G **21**
Hatton Gro. *Swin* —3B **12**
Havelock Sq. *Swin* —3F **11**
Havelock St. *Swin* —3F **11**
Haven Clo. *Swin* —1D **12**
Hawfinch Clo. *Swin* —4G **13**
Hawker Rd. *Swin* —5E **13**
Hawkins St. *Swin* —2D **10**
Hawkswood. *Swin* —1F **13**
Hawksworth Ind. Est. *Hawk T*
—2E **11**
Hawksworth Way. *Hawk T*
—2E **11**
Hawthorn Av. *Swin* —5G **5**
Haydon Ct. *Hay W* —2C **4**
Haydon Ct. Dri. *Hay W* —2C **4**
Haydon End La. *Swin* —1C **4**
Haydonleigh Dri. *Hay W*
—2C **4**
Haydon St. *Swin* —2G **11**
Haydon Vw. Rd. *Swin* —3G **5**
Hay La. *Gran P* —3F **9**
Hay La. *Midd* —2F **9**
Hay La. *Wro* —1E **17**
Haynes Clo. *Swin* —5E **13**
Hayward Clo. *Hay W* —1E **5**
Hazelbury Cres. *Swin* —2E **13**
Hazel End. *Woot B* —4G **15**
Hazel Gro. *Swin* —4G **5**
Hazelmere Clo. *Swin* —5D **12**
Headlands Gro. *Swin* —4H **5**

Headlands Ind. Est. *Swin*
—4A **6**
Heathcote Clo. *Shaw* —1H **9**
Heath Way. *Swin* —1D **12**
Heaton Clo. *Swin* —1E **5**
Heddington Clo. *Swin* —2G **5**
Hedges Clo. *Swin* —4D **6**
Heights, The. *Swin* —5E **11**
Helmsdale. *G'mdw* —3D **4**
Helmsdale Wlk. *Swin* —5C **12**
Helston Rd. *Swin* —4C **12**
Hendy M. *Gran P* —5F **9**
Henley Rd. *Swin* —5B **12**
Henry St. *Swin* —3F **11**
Hepworth Rd. *Swin* —1D **4**
Hereford Lawns. *Swin* —6B **12**
Hermitage La. *Swin* —4A **6**
Heronbridge Clo. *Westl*
—4A **10**
Heronscroft. *Swin* —2F **13**
Hertford Clo. *Swin* —3B **12**
Hesketh Cres. *Swin* —6H **11**
Hewitt Clo. *Swin* —5E **13**
Hexham Clo. *Toot* —4H **9**
Heytesbury Gdns. *Gran P*
—5F **9**
Heywood Clo. *Swin* —2F **5**
Hicks Clo. *Wro* —5E **19**
Highclere Av. *Swin* —5B **12**
Highdown Way. *Hay W* —1G **3**
Highfold. *Woot B* —4H **15**
Highland Clo. *Shaw* —2G **9**
High Mead. *Woot B* —3H **15**
Highmoor Copse. *Peat* —6G **3**
Highnam Clo. *Swin* —6D **6**
Highridge Clo. *Pur* —4A **2**
High St. Chiseldon, *Chi*
—5A **20**
High St. Haydon Wick, *Hay W*
—3C **4**
High St. Purton, *Pur* —4B **2**
High St. Swindon, *Swin*
—5H **11**
High St. Wootton Bassett,
Woot B —4F **15**
High St. Wroughton, *Wro*
—6E **19**
Highwood Clo. *Swin* —3B **4**
Highworth Rd. *S Mar* —2D **6**
Highworth Rd. *Swin* —1F **7**
Hillary Clo. *Swin* —3G **5**
Hillcrest Clo. *Swin* —5E **11**
Hillingdon Rd. *Swin* —5D **12**
Hillmead Dri. *Hill* —6H **3**
Hillmead Ind. Est. *Hill* —1H **9**
Hillside. *Pur* —3C **2**
Hillside Av. *Swin* —5E **11**
Hill Vw. Rd. *Swin* —6E **7**
Hillyard Clo. *Gran P* —5F **9**
Hilmarton Av. *Swin* —2G **5**
Hinkson Clo. *Swin* —1F **3**
Hinton St. *Swin* —1H **11**
Hobley Dri. *Swin* —4C **6**
Hodds Hill. *Peat* —5H **3**
Hodson Rd. *Chi* —6C **20**
Hoggs La. *Pur* —3A **2**
Holbein Clo. *Gran P* —4G **9**
Holbein Ct. *Gran P* —4G **9**
(off Holbein Pl.)
Holbein Fld. *Gran P* —5G **9**

Holbein M. *Gran P* —4G **9**
Holbein Pl. *Gran P* —4G **9**
Holbein Sq. *Gran P* —5G **9**
(off Holbein Wlk.)
Holbein Wlk. *Gran P* —5G **9**
Holbrook Way. *Swin* —3F **11**
Holden Clo. *Hay W* —1F **5**
Holinshead Pl. *Gran P* —4G **9**
Holliday Clo. *Swin* —1E **5**
Hollins Moor. *Swin* —1F **21**
Holly Clo. *Swin* —5E **5**
Holmleigh. *Hay W* —3C **4**
Home Clo. *Chi* —5A **20**
Homefield. *Woot B* —3G **15**
Home Ground. *Woot B*
—1A **16**
Honda N. Roundabout *Swin*
—2D **6**
Honda S. Roundabout *Swin*
—3D **6**
Honey Bone Wlk. *Swin*
—2G **13**
Honeyhill. *Woot B* —4F **15**
Honeylight Vw. *Swin* —1E **5**
Honeysuckle Clo. *Hay W*
—2B **4**
Honiton Rd. *Swin* —4D **12**
Hook Clo. *Peat* —5G **3**
Hooks Hill. *Pur* —3B **2**
Hook St. *Woot B* —3A **8**
Hooper Pl. *Swin* —5H **11**
Hopton Clo. *Fres* —6H **9**
Horace St. *Swin* —3D **10**
Horcott Rd. *Peat* —5H **3**
Hornbeam Ct. *Swin* —5F **5**
Hornsey Gdns. *Swin* —2C **6**
Horsell Clo. *Woot B* —3G **15**
Horseshoe Cres. *Peat* —6G **3**
Horsham Cres. *Swin* —5C **12**
Horton Rd. *Swin* —2A **6**
Howard Clo. *Swin* —3B **12**
Hudson Way. *Swin* —2E **5**
Hughes St. *Swin* —2C **10**
Hugo Way. *Swin* —1E **5**
(in two parts)
Hungerford Clo. *Pri T* —2F **9**
Hunsdon Clo. *Swin* —3C **12**
Hunter's Gro. *Swin* —6F **5**
Huntley Clo. *Swin* —2B **12**
Huntsland. *Woot B* —3H **15**
Hunts Mill Rd. *Woot B*
—5C **14**
Hunts Ri. *S Mar* —1E **7**
Hunt St. *Swin* —4G **11**
Hurst Cres. *Swin* —4G **5**
Huthatch Clo. *Swin* —3G **13**
Hyde La. *Pur* —3C **2**
Hyde Rd. *Swin* —1H **5**
Hyde, The. *Pur* —3D **2**
Hylder Clo. *Swin* —3B **4**
Hysopp Clo. *Swin* —3A **4**
Hythe Rd. *Swin* —4F **11**

Icomb Clo. *Toot* —5A **10**
Idovers Dri. *Toot* —5A **10**
Iffley Rd. *Swin* —1D **10**
Imber Wlk. *Swin* —1F **5**
Inglesham Rd. *Swin* —2G **5**
Intel. *Swin* —1H **19**

Interface Bus. Pk. *Woot B*
—4H **15**
Inverary Rd. *Wro* —4E **19**
Ipswich St. *Swin* —1G **11**
Irston Way. *Fres* —5H **9**
Isis Clo. *Swin* —4E **5**
Isis Trad. Est. *Swin* —1B **12**
Islandsmead. *Swin* —4E **13**
(in two parts)
Islington St. *Swin* —3G **11**
Ixworth Clo. *Shaw* —2G **9**

Jackthorne Clo. *Swin* —5G **3**
Jacobs Wlk. *Swin* —5F **13**
James Watt Clo. *Hawk T*
—2E **11**
Jasmine Clo. *Swin* —3B **4**
Jefferies Av. *Swin* —5H **5**
Jennings St. *Swin* —3D **10**
Jersey Pk. *Shaw* —1H **9**
Jewel Clo. *Gran P* —4F **9**
John Herring Cres. *Swin*
—6C **6**
John St. *Swin* —3F **11**
Jole Clo. *Swin* —2A **6**
Jolliffe St. *Swin* —4E **11**
Joseph St. *Swin* —4E **11**
Joyce Clo. *Swin* —2G **3**
Jubilee Est. *Pur* —2C **2**
Jubilee Rd. *Swin* —4C **4**
Juniper Clo. *Swin* —1D **12**
Juno Way. *Swin* —5D **10**

Karslake Clo. *Swin* —5E **13**
Keats Clo. *Woot B* —2H **15**
Keats Cres. *Swin* —3B **6**
Keble Clo. *Swin* —2E **13**
Kelham Clo. *Swin* —5B **12**
Kellsboro Av. *Wro* —4D **18**
Kelly Gdns. *Hay W* —1D **4**
Kelmscot Rd. *Swin* —4G **5**
Kelvin Rd. *Swin* —2C **12**
Kemble Dri. *Swin* —2D **10**
Kembrey Pk. *Swin* —5H **5**
Kembrey St. *Kem P* —5H **5**
(in two parts)
Kemerton Wlk. *Swin* —6D **12**
Kendal. *Toot* —5H **9**
Kendrick Ind. Est. *Swin*
—1C **10**
Kenilworth Lawns. *Swin*
—6B **12**
Kennedy Dri. *Swin* —5F **13**
Kennet Av. *Swin* —3F **5**
Kennet Rd. *Wro* —4E **19**
Kenton Clo. *Swin* —3D **12**
Kent Rd. *Swin* —4F **11**
Kenwin Clo. *Swin* —4D **6**
Kerrs Way. *Wro* —5E **19**
Kerry Clo. *Shaw* —2G **9**
Kershaw Rd. *Swin* —5E **13**
Kestrel Dri. *Swin* —3G **13**
Keswick Rd. *Swin* —6D **12**
Keycroft Copse. *Peat* —6G **3**
Keyneston Rd. *Swin* —3E **13**
Keynsham Wlk. *Swin* —5D **12**
Kibblewhite Clo. *Pur* —4B **2**
Kilben Clo. *Midd* —2F **9**

Kiln La. *Swin* —6D **4**
Kilsyth Clo. *Fres* —5G **9**
Kimberley Rd. *Swin* —5C **12**
Kimbolton Clo. *Fres* —5G **9**
Kimmeridge Clo. *Swin* —3D **12**
King Charles Rd. *Fres* —5H **9**
Kingsdown Cvn. Pk. *Swin*
—1B **6**
Kingfisher Dri. *Swin* —2F **13**
Kingfisher Roundabout. *Swin*
—2F **13**
King Henry Dri. *Gran P* —5F **9**
King John St. *Swin* —5G **11**
Kingscote Clo. *Nine E* —1F **9**
Kingsdown Ind. Est. *Swin*
—1C **6**
Kingsdown Rd. *Swin* —2B **6**
Kingshill Rd. *Swin* —5E **11**
Kingsley Av. *Woot B* —2G **15**
Kingsley Way. *Swin* —2H **5**
Kingsthorpe Gro. *Swin* —1E **13**
Kingston Rd. *Swin* —5C **12**
King St. *Swin* —3F **11**
Kingsway Clo. *Swin* —5B **12**
Kingswood Av. *Swin* —4C **12**
King William St. *Swin* —5G **11**
Kipling Gdns. *Swin* —3A **6**
Kirby Clo. *Swin* —5B **12**
Kirkstall Clo. *Toot* —5A **10**
Kirktonhill Rd. *Westl* —3B **10**
Kishorn Clo. *Spar* —5H **3**
Kitchener St. *Swin* —6G **5**
Knapp Clo. *Rod C* —5D **4**
Knoll, The. *Swin* —6G **11**
Knolton Wlk. *Swin* —5C **12**
Knowsley Rd. *Swin* —5C **12**

Laburnum Dri. *Woot B*
—2G **15**
Laburnum Rd. *Swin* —4G **5**
Lacock Rd. *Swin* —3G **5**
Lady La. *Blun* —1D **4**
(in two parts)
Lagos St. *Swin* —2G **11**
Lakeside. *Swin* —6A **12**
Lambert Clo. *Fres* —6H **9**
Lambourn Av. *Swin* —6A **12**
Lamora Clo. *Midd* —1F **9**
Lanac Rd. *Swin* —6C **6**
Landor Clo. *Swin* —1F **3**
Langdale Dri. *Fres* —6H **9**
Langford Gro. *Swin* —3A **12**
Langport Clo. *Fres* —5H **9**
Langstone Way. *Westl* —3A **10**
Lanhydrock Clo. *Fres* —5G **9**
Lansbury Dri. *Swin* —3B **6**
Lansdown Rd. *Swin* —5F **11**
Lapwing Clo. *Swin* —3G **13**
Larchmore Clo. *Swin* —4E **5**
Larksfield. *Swin* —2E **13**
Latton Clo. *Swin* —1F **5**
Laughton Way. *Swin* —1E **5**
Laurel Ct. *Swin* —4A **6**
Lawns, The. *Woot B* —3F **15**
Lawrence Clo. *Swin* —5E **13**
Lawton Clo. *Swin* —6C **12**
Lea Clo. *Hay W* —2G **3**
Leamington Gro. *Swin* —1A **20**
Leicester St. *Swin* —3H **11**

Newmeadow Copse. *Peat* —6G **3**
Newport St. *Swin* —6H **11**
New Rd. *Chi* —5A **20**
New Rd. *Pur* —1B **2**
New Road. *Woot B* —4F **15**
Newstead Clo. *Hay W* —1D **4**
Newton Way. *Swin* —3G **5**
Nightingale Rd. *Swin* —3H **7**
Nightwood Copse. *Peat* —6G **3**
Nindum Rd. *Swin* —6D **6**
Nolan Clo. *Hay W* —1F **3**
Norbury Ct. *Pur* —3C **2**
Norcliffe Rd. *Swin* —5D **12**
Noredown Way. *Woot B* —4G **15**
Nore Marsh Rd. *Woot B* —4G **15**
Norfolk Clo. *Swin* —3B **12**
Norman Rd. *Swin* —1G **11**
Norris Clo. *Chi* —6A **20**
Northampton St. *Swin* —3H **11**
N. Bank Ri. *Woot B* —3H **15**
Northbourne Rd. *Hay W* —2G **3**
Northbrook Rd. *Swin* —6E **5**
Northern Rd. *Swin* —5E **5**
Northfield Way. *Swin* —2D **12**
Northleaze Clo. *Swin* —4D **4**
N. Star Av. *Swin* —1F **11**
N. Star Roundabout. *Swin* —1F **11**
North St. *Swin* —4G **11**
N. View Ho. *Pur* —4B **2**
Norton Gro. *Swin* —4H **11**
Norwood Clo. *Swin* —5F **13**
Nuffield Clo. *Shaw* —1H **9**
Nunwell Clo. *Swin* —2G **3**
Nurseries, The. *Swin* —5F **11**
Nutmeg Clo. *Swin* —3B **4**
Nyland Rd. *Swin* —2E **13**
Nythe Rd. *Swin* —6D **6**

Oakford Wlk. *Swin* —3C **12**
Oak Garden. *Swin* —3C **6**
Oakham Clo. *Toot* —5A **10**
Oakie Clo. *Swin* —1E **5**
Oaksey Rd. *Swin* —3G **5**
Oak Tree Av. *Swin* —4H **5**
Oakwood Rd. *Westl* —2A **10**
Oasthouse Clo. *Nine E* —1G **9**
Oberon Way. *Swin* —2E **5**
Ocotal Way. *Swin* —2H **11**
Odstock Rd. *Swin* —1G **5**
Okebourne Pk. *Swin* —6E **13**
Okeford Clo. *Swin* —2E **13**
Okus Gro. *Swin* —3H **5**
Okus Rd. *Swin* —6D **10**
Okus Trad. Est. *Swin* —5E **11**
Old Ct. *Woot B* —4F **15**
Oldlands Wlk. *Swin* —6D **12**
Old Malmesbury Rd. *Woot B* —1G **15**
Old Mill La. *Swin* —6H **11**
Old Shaw La. *Shaw* —1G **9**
(in two parts)
Old Vicarage La. *Swin* —3G **7**
Olive Gro. *Swin* —4F **5**
Oliver Clo. *Pri T* —3F **9**

Olivier Rd. *Hay W* —1F **5**
Omdurman St. *Swin* —6F **5**
Orbit Cen. Bus. Pk. *Bri* —4C **10**
Orchard Gdns. *Pur* —4A **2**
Orchard Gro. *Swin* —4H **5**
Orchard Mead. *Woot B* —1A **16**
Orchard, The. *Chi* —5B **20**
Orchard, The. *Swin* —2B **20**
Orchid Clo. *Swin* —4G **5**
Oriel St. *Swin* —3G **11**
Orkney Clo. *Shaw* —2H **9**
Orlando Clo. *Gran P* —4F **9**
Orrin Clo. *Spar* —5H **3**
Orwell Clo. *Swin* —2E **5**
Osborne St. *Swin* —1F **11**
Osprey Clo. *Swin* —3G **13**
Osterley Rd. *Hay W* —1C **4**
Otter Way. *Woot B* —3H **15**
Overbrook. *Swin* —5D **12**
Overton Gdns. *Swin* —5D **6**
Overtown Hill. *Wro* —6G **19**
Owl Clo. *Swin* —3G **13**
Owlets, The. *Swin* —2G **13**
(in two parts)
Oxford Rd. *Swin* —6C **6**
Oxford St. *Swin* —3F **11**

Pack Hill. *Lidd* —2G **21**
Packington Clo. *Swin* —2H **9**
Paddington Dri. *Bri* —3C **10**
Paddock Clo. *Hay W* —2D **4**
Paddocks, The. *Swin* —5C **6**
Pakenham Rd. *Swin* —5D **12**
Palmer Av. *Westl* —4B **10**
Parade, The. *Swin* —3F **11**
Parhams Ct. *Woot B* —4G **15**
Parham Wlk. *Gran P* —4F **9**
Parklands Rd. *Swin* —4A **12**
Park La. *Lyd M* —1D **8**
Park La. *Swin* —3E **11**
Park Side. *Swin* —5C **6**
Park Springs. *Westl* —4A **10**
Parkstone Wlk. *Swin* —6D **12**
(off Cranmore Av.)
Park St. *Swin* —5E **7**
Pk. View Dri. *Lyd M* —1D **8**
Parr Clo. *Gran P* —3G **9**
Parsley Clo. *Swin* —2B **4**
Parsonage Rd. *Swin* —4C **6**
Partridge Clo. *Swin* —3G **13**
Passmore Clo. *Swin* —2G **13**
Pasture Clo. *Swin* —2C **10**
Patney Wlk. *Swin* —1F **5**
Paulet Clo. *Gran P* —5G **9**
Paven Clo. *Pur* —3A **2**
Pavenhill. *Pur* —3A **2**
Paxton Ho. *Swin* —5G **11**
(off Victoria Rd.)
Peacock Ri. *Swin* —6E **13**
Peaks Down. *Peat* —5H **3**
Peak, The. *Pur* —4B **2**
Pearce Clo. *Swin* —1A **6**
Pearl Rd. *Midd* —2F **9**
Pear Tree Clo. *Pur* —2C **2**
Peatmoor Way. *Peat* —6G **3**
Pembroke Gdns. *Swin* —4C **4**
Pembroke St. *Swin* —5G **11**
Pencarrow Clo. *Hay W* —1C **4**

Pen Clo. *Swin* —3E **5**
Pendennis Rd. *Fres* —6G **9**
Penfold Gdns. *Swin* —5G **11**
Penhill Dri. *Swin* —2F **5**
Pennine Way. *Swin* —2F **3**
Pennycress Clo. *Hay W* —3C **4**
Penny La. *Swin* —2B **12**
Penrose Wlk. *Swin* —4C **12**
(off Dulverton Av.)
Pentridge Clo. *Swin* —2E **13**
Penzance Dri. *Swin* —4C **10**
Pepperbox Hill. *Peat* —5H **3**
Percheron Clo. *Shaw* —2G **9**
Percy St. *Swin* —2D **10**
Peregrine Clo. *Swin* —1F **13**
Periwinkle Clo. *Swin* —4A **4**
Perry's La. *Wro* —5E **19**
Peter Furkins Ct. *Swin* —4E **11**
Petersfield Rd. *Swin* —5D **12**
Petter Clo. *Wro* —4F **19**
Pevensey Roundabout. *Toot* —5A **10**
Pevensey Way. *Toot* —4A **10**
Pewsham Rd. *Swin* —2H **5**
Pheasant Clo. *Swin* —3G **13**
Phipp Mt. *Woot B* —1G **15**
Phipp Vs. *Chi* —5A **20**
Piccadilly Roundabout. *Swin* —2E **13**
Pickwick Clo. *Swin* —2A **6**
Pigeon Ho. La. *Swin* —4C **6**
Pilgrim Clo. *Shaw* —2G **9**
Pilton Clo. *Nine E* —1F **9**
Pinehurst. *Swin* —4G **5**
Pinehurst Rd. *Swin* —6F **5**
(in two parts)
Pinetree Ri. *Swin* —4F **5**
Pinnegar Way. *Swin* —3G **13**
Pinnock's Pl. *Swin* —3B **6**
Pioneer Clo. *Midd* —2G **9**
Pipers Clo. *Woot B* —5F **15**
Pipers Roundabout. *Swin* —1A **20**
Pipers Way. *Swin* —2G **5**
Pipitdene. *Swin* —2F **13**
Pitchens, The. *Wro* —6F **19**
(in two parts)
Planks, The. *Swin* —5H **11**
Plattes Clo. *Shaw* —1H **9**
Play Clo. *Pur* —3C **2**
Pleydell Rd. *Swin* —1G **19**
Plummer Clo. *Wro* —5E **19**
Plymouth St. *Swin* —3H **11**
Poltondale. *Swin* —2F **13**
Pond St. *Hay W* —2D **4**
Ponting St. *Swin* —2G **11**
Poole Rd. *Swin* —4C **4**
Poor St. *Pur* —4A **2**
Pope Clo. *Hay W* —2D **4**
Poplar Av. *Swin* —5G **5**
Popplechurch Dri. *Swin* —2G **13**
Portal Rd. *Swin* —5E **5**
Portland Av. *Swin* —5E **11**
Portmore Clo. *Spar* —5A **4**
Portsmouth St. *Swin* —3H **11**
Potterdown Rd. *Swin* —2G **5**
Poulton St. *Swin* —1G **11**
Pound La. *Swin* —5F **5**
Poynings Way. *Gran P* —5F **9**

Primrose Clo. *Hay W* —2B **4**
Prince Rupert Ct. *Fres* —5G **9**
Princes Ho. *Swin* —3G **11**
(off Princes St.)
Princes St. *Swin* —3G **11**
Prior's Hill. *Wro* —6F **19**
Priory Rd. *Swin* —5C **12**
(in three parts)
Pritchard Clo. *Swin* —2A **6**
Prospect Hill. *Swin* —4G **11**
Prospect Pl. *Swin* —5G **11**
Proud Clo. *Pur* —4B **2**
Purbeck Clo. *Swin* —2E **13**
Purley Av. *Swin* —6D **12**
Purley Clo. *Wro* —5F **19**
Purley Rd. *Lidd* —2H **21**
Purslane Clo. *Swin* —4A **4**
Purton Ind. Est. *Pur* —1B **2**
Purton Rd. *Peat* —5G **3**

Quarries, The. *Swin* —6G **11**
Quarrybrook Clo. *S Mar* —2G **7**
Quarry M. *Swin* —6G **11**
Quarry Rd. *Swin* —5G **11**
Queenborough. *Toot* —5A **10**
Queen Elizabeth Dri. *Swin* —3A **4**
Queens Dri. *Swin* —3A **12**
Queensfield. *Swin* —2H **5**
Queen's Rd. *Woot B* —3G **15**
Queen St. *Swin* —3F **11**
Quentin Rd. *Swin* —6H **11**

Radcot Clo. *Nine E* —6G **3**
Radley Clo. *Swin* —2E **13**
Radnor St. *Swin* —4E **11**
Radstock Av. *Swin* —3D **12**
Radway Rd. *Swin* —4B **6**
Raggett St. *Swin* —4G **11**
Raglan Clo. *Swin* —1A **20**
Rainer Clo. *Stra S* —4D **6**
Raleigh Av. *Swin* —3B **12**
Ramleaze Dri. *Shaw* —2G **9**
Ramsbury Av. *Swin* —2F **5**
Ramsden Rd. *Bla* —6F **9**
Ramsden Roundabout. *Bla* —1F **17**
Ramsthorn Clo. *Swin* —3B **4**
Randall Cres. *Shaw* —1G **9**
Randolph Clo. *Swin* —4B **12**
Rannoch Clo. *Spar* —6H **3**
Ransome Clo. *Shaw* —1H **9**
Ratcombe Rd. *Peat* —5G **3**
Ravenscroft. *Swin* —1E **13**
Ravensglass Rd. *Westl* —3A **10**
Ravens Wlk. *Woot B* —1A **16**
Rawlings Clo. *S Mar* —3G **7**
Rawston Clo. *Swin* —3E **13**
Raybrook Cres. *Swin* —3C **10**
Ray Clo. *Swin* —3E **5**
Rayfield Gro. *Swin* —1F **11**
Reading St. *Swin* —3F **11**
Read St. *Swin* —4E **11**
Redbridge Clo. *Swin* —5D **12**
Redcap Gdns. *Shaw* —2G **9**
Redcliffe St. *Swin* —3D **10**
Redlynch Clo. *Swin* —2G **5**

Redposts Dri. Swin —5D 10
Redruth Clo. Swin —4D 12
Reeves Clo. Swin —5E 13
Regent Circ. Swin —4G 11
Regent Pl. Swin —3G 11
Regents Pl. Swin —1B 12
Regent St. Swin —3F 11
Reid's Piece. Pur —4B 2
Renoir Clo. Hay W —1G 3
Restrop Rd. Pur —5A 2
Restrop Vw. Pur —3A 2
Retingham Way. Swin —2C 6
Reynolds Way. Hay W —1G 3
Rhine Clo. Swin —5D 10
Rhuddlan. Toot —5H 9
Richard Jefferies Gdns. Chi
—5A 20
Richards Clo. Woot B —4F 15
Richmond Rd. Swin —1E 11
Ridge Grn. Shaw —2H 9
Ridge Nether Moor. Swin
—1G 21
Ridgeway Clo. Swin —5D 4
Ridgeway Rd. Swin —2A 6
Ridgeway, The. Chi —6A 20
Ringsbury Clo. Pur —4A 2
Ringwood Clo. Swin —3D 12
Rinsdale Clo. Spar —6H 3
Ripley Rd. Swin —5G 11
Ripon Way. Swin —6C 12
Ripplefield. Fres —5H 9
Risingham Mead. Westl
—4A 10
Rivenhall Rd. Westl —4A 10
Riverdale Clo. Swin —1G 19
Riverdale Wlk. Swin —1G 19
Rivermead Dri. Westl —1A 10
Rivermead Ind. Est. Westl
—1A 10
River Ray Est. Swin —2B 10
Roberts Clo. Wro —6F 19
Robins Clo. Woot B —1A 16
Robinsgreen. Swin —2F 13
Robinson Clo. Swin —3F 13
Roche Clo. Swin —5F 13
Rochford Clo. Gran P —4E 9
Rockdown Ct. Swin —3H 5
Rodbourne Rd. Swin —1D 10
Rodbourne Roundabout. Swin
—1D 10
Rodwell Clo. Swin —5C 12
Rogers Clo. Swin —2C 12
Rolleston St. Swin —4G 11
Roman Cres. Swin —6F 11
Romney Way. Shaw —3G 9
Romsey St. Swin —2D 10
Rope Yd. Woot B —4F 15
Rosary, The. Woot B —3G 15
Rosebery St. Swin —2H 11
Rosedale Rd. Swin —5D 12
Rosemary Clo. Swin —2B 4
Rose St. Swin —2D 10
Rosewood Ct. Swin —6F 13
Ross Gdns. Swin —3C 6
Rother Clo. Swin —2D 4
Roughmoor Way. Midd —2G 9
Roundway Down. Fres —6H 9
Rowan Dri. Woot B —4G 15
Rowan Rd. Swin —4E 5

Rowland Hill Clo. Dor —5G 13
Rowton Heath Way. Fres
—4G 9
Royston Rd. Swin —5C 12
Rubens Clo. Hay W —1F 3
Ruckley Gdns. Swin —5D 6
Rushall Clo. Swin —2F 5
Rushmere Path. Hay W —2D 4
Rushton Rd. Swin —6C 12
Ruskin Av. Swin —4B 6
Ruskin Dri. Woot B —2H 15
Russell Wlk. Swin —3A 12
Russley Clo. Peat —6F 3
Ruxley Clo. Woot B —5F 15
Ryan Clo. Spar —5H 3
Rycote Clo. Gran P —3G 9
Rydal Clo. Swin —2D 4
Rye Clo. Midd —2G 9
Rylands Way. Woot B —3G 15

Sackville Clo. Swin —2B 12
Saddleback Rd. Shaw —2G 9
Sadler Wlk. Swin —4B 12
Saffron Clo. Swin —4C 4
Saffron Clo. Woot B —1G 15
Sage Clo. Swin —2B 4
St Albans Clo. Swin —2C 10
St Ambrose Clo. Swin —3F 13
St Andrews Clo. Wro —4F 19
St Andrews Ct. Blun —1F 3
St Andrews Ct. Wro —4F 19
St Andrews Grn. Swin —2G 13
St Byron St. Swin —4G 11
St Helens Vw. Swin —5D 10
St Ives Ct. Swin —2E 13
(off Tyneham Rd.)
St James Clo. Swin —2H 5
St John Rd. Wro —5E 19
St Katherine Grn. Swin
—2G 13
St Margarets Pk. Swin —5F 7
St Margarets Rd. Swin
—6H 11
St Mary's Gro. Swin —1F 11
St Paul's Dri. Dor —2G 13
St Paul's St. Swin —6G 5
St Phillip's Rd. Swin —4A 6
Salcombe Gro. Swin —4B 12
Salisbury St. Swin —2G 11
Saltram Clo. Swin —3E 13
Salt Spring Dri. Woot B
—4E 15
Salzgitter Ct. Toot —4A 10
(off Affleck Clo.)
Salzgitter Dri. Swin —1G 3
Sandacre Rd. Nine E —1F 9
Sandgate. Swin —6D 6
Sandgate M. Swin —6D 6
Sandown Av. Swin —6A 12
Sandpiper Bri. Swin —2G 13
Sandringham Rd. Swin
—6B 12
Sandstone Rd. Swin —2F 3
Sandwood Clo. Spar —5H 3
Sandy La. Swin —5F 11
Sanford St. Swin —3G 11
Sarsen Clo. Swin —5D 10
Savernake St. Swin —4G 11
Savill Cres. Wro —4D 18

Saxon Ct. Swin —5H 11
Saxon Mill. Chi —5A 20
Saxton Wlk. Shaw —1H 9
Scarborough Rd. Swin
—1D 10
School Clo. Chi —5A 20
School Row. Hay W —3C 4
Scotby Av. Swin —6A 12
Scotney Cres. Hay W —1D 4
Seagry Ct. Swin —2F 5
Seaton Clo. Swin —2D 4
Sedgebrook. Swin —1F 21
Selby Cres. Fres —5H 9
Seldon Clo. Swin —3A 12
Semley Wlk. Swin —3G 5
Severn Av. Swin —3E 5
Seymour Rd. Swin —3B 12
Shaftesbury Av. Swin —6D 12
Shakespeare Path. Swin
—4B 6
Shakespeare Rd. Woot B
—3H 15
Shalbourne Clo. Swin —2F 5
Shanklin Rd. Swin —3C 4
Shapwick Clo. Swin —2E 13
Sharp Clo. Shaw —2H 9
Shaw Rd. Shaw —3A 10
(nr. Chesters, The)
Shaw Rd. Shaw —2H 9
(nr. Old Shaw La.)
Shaw Village Cen. Shaw
—2G 9
Shearwood Rd. Peat —6G 3
Sheen Clo. Gran P —5F 9
Sheerwood Clo. Stra —4D 6
Shelfinch. Toot —5B 10
Shelley Av. Woot B —2H 15
Shelley St. Swin —4F 11
Shenton Clo. Swin —4D 6
Shenton Ct. Swin —5D 6
Shepherds Breech. Woot B
—3G 15
Shepperton. Swin —1D 4
Sherborne Pl. Swin —2D 12
Sherfields. Woot B —4H 15
Sherford Rd. Swin —3C 4
Sheridan Dri. Woot B —2H 15
Sheringham Ct. Swin —6F 13
Sherston Av. Swin —2G 5
Sherwood Rd. Swin —5D 12
Shetland Clo. Shaw —2G 9
Shipley Clo. Swin —1D 4
Shipton Gro. Swin —4A 12
Shire Clo. Shaw —2G 9
Shire Ct. Swin —4E 13
(in two parts)
Shirley Clo. Swin —3B 12
Shrewsbury Rd. Swin —3B 12
Shrewton Wlk. Swin —1G 5
Shrivenham Rd. Swin —2A 12
(in two parts)
Shropshire Clo. Shaw —2H 9
Sidney Clo. Gran P —5F 9
Signal Way. Swin —6H 11
Silchester Way. Westl —3A 10
Silto Ct. Swin —6D 4
Silverton Rd. Swin —3D 12
Simnel Clo. Gran P —4F 9
Skew Bri. Clo. Woot B —5E 15
Slade Dri. Swin —1C 12

Sleaford Clo. Gran P —3G 9
Slipper La. Chi —5A 20
Smitan Brook. Swin —3F 13
Smith Rd. Shaw —1H 9
Snapps Clo. Wro —6F 19
Snodshill Roundabout. Swin
—6E 13
Snowdon Pl. Swin —3A 6
Snowdrop Clo. Hay W —2B 4
Snowfield. Woot B —2F 15
Snowshill Clo. Swin —2D 4
Somerdale Clo. Westl —3A 10
Somerford Clo. Swin —3H 5
Somerset Rd. Swin —6D 4
Somerville Rd. Swin —3B 12
Sorrel Clo. Woot B —1G 15
Sound Copse. Peat —5H 3
Southampton St. Swin
—3H 11
Southbank Glen. Woot B
—3H 15
Southbrook St. Swin —1F 11
(in two parts)
Southernwood Dri. Swin
—3A 4
Southey Clo. Swin —1F 3
S. Marston Ind. Est. S Mar
—1E 7
South St. Swin —5G 11
S. View Av. Swin —4A 12
Southwick Av. Swin —2F 5
Sparcells Dri. Spar —5H 3
Sparrow Clo. Woot B —3F 15
Speedwell Clo. Hay W —2C 4
Spencer Clo. Pri T —2F 9
Spenser Clo. Swin —2C 12
Speresholt. Toot —5B 10
Spindle Tree Ct. Swin —5F 5
Spittleborough Roundabout.
Woot B —1E 7
Spring Clo. Swin —3G 11
Springfield Cres. Woot B
—3F 15
Springfield Rd. Swin —6G 11
Spring Gdns. Swin —3G 11
Springhill Clo. Westl —4A 10
Spruce Ct. Swin —5F 5
(off Tree Courts Rd.)
Spur Way. Swin —4A 6
Square, The. Swin —5H 11
Squires Copse. Peat —6G 3
Squires Hill Clo. Woot B
—3H 15
Squirrel Clo. Woot B —3H 15
Stable Ct. Woot B —3F 15
(off Wood St.)
Stafford St. Swin —4F 11
Stamford Clo. Toot —4H 9
Stanbridge Pk. Shaw —2G 9
Stancombe Pk. Westl —4B 10
Standen Way. Hay W —2G 3
Standings Clo. Nine E —1G 9
Stanier St. Swin —4F 11
Stanley St. Swin —4G 11
Stanmore St. Swin —4E 11
Stansfield Clo. Toot —5B 10
Stanway Clo. Swin —5C 12
Stapleford Clo. Swin —1F 5
Stapleford Way. Swin —1F 5
Starling Clo. Midd —1F 9

Stathers Ga. *Woot B* —1A **16**
Station App. *Swin* —6H **11**
Station Ind. Est. *Swin* —3E **11**
Station Rd. *Chi* —5A **20**
Station Rd. *Pur* —3C **2**
Station Rd. *Swin* —2F **11**
Station Rd. *Woot B* —4F **15**
Station Yd. *Pur* —2C **2**
Staverton Way. *Swin* —1G **5**
Steadings, The. *Woot B*
—4H **15**
Stedham Wlk. *Swin* —5D **12**
Stenbury Clo. *Swin* —2G **3**
Stennes Clo. *Spar* —5A **4**
Stephenson Rd. *Gro I* —1G **5**
Stephens Rd. *Swin* —1C **12**
Stewart Clo. *Hay W* —1F **5**
Stirling Clo. *Wro* —4E **19**
Stirling Rd. *S Mars* —1E **7**
Stockbridge Copse. *Peat*
—5H **3**
Stockton Rd. *Swin* —3G **5**
Stokesay Dri. *Toot* —5A **10**
Stonecrop Way. *Hay W* —2C **4**
Stonefield Clo. *Eastl* —3A **10**
Stonehill Grn. *Swin* —3B **10**
Stonehurst Clo. *Swin* —1C **12**
(nr. Stephens Rd.)
Stonehurst Clo. Swin —3C **12**
(off Marlowe Av.)
Stone La. *Lyd M* —6D **2**
Stoneover La. *Woot B* —3H **15**
Stony Beck Clo. *Westl* —4B **10**
Stour Rd. *Swin* —3F **5**
Stour Wlk. *Swin* —3F **5**
Stratford Clo. *Toot* —4B **10**
Stratton Ct. *Pur* —3B **2**
Stratton Orchard. *Swin* —5C **6**
Stratton Rd. *Swin* —1B **12**
Stratton St Margaret By-Pass.
Swin —1H **5**
Street, The. *Lyd M* —1C **8**
Street, The. *Swin* —4C **4**
(in two parts)
Stroud's Hill. *Chi* —5A **20**
Stuart Clo. *Swin* —3B **12**
Stubsmeads. *Swin* —4E **13**
(in two parts)
Studland Clo. *Swin* —6D **12**
Sudeley Way. *Gran P* —4F **9**
Suffolk St. *Swin* —1G **11**
Summerhouse Rd. *Wro*
—4D **18**
Summers St. *Swin* —2D **10**
Sun La. *Wro* —6E **19**
Sunningdale Rd. *Swin* —3G **5**
Sunnyside Av. *Swin* —5E **11**
Surrey Rd. *Swin* —6E **5**
Sussex Sq. *Swin* —3B **12**
Sutton Rd. *Swin* —5E **13**
Swallowdale. *Swin* —2F **13**
Swallowfield Av. *Swin* —4B **12**
Swallows Mead. *Woot B*
—1A **16**
Swanage Wlk. *Swin* —4C **4**
Swansbrook. *Swin* —1F **13**
Swift Av. *Swin* —2G **3**
Swinburne Pl. *Woot B* —2G **15**
Swindon Europark. *Bla*
—1H **17**

Swindon Rd. *Stra S* —6C **6**
(in two parts)
Swindon Rd. *Swin* —4G **11**
Swindon Rd. *Woot B* —1H **15**
Swindon Rd. *Wro* —4F **19**
Swinley Dri. *Peat* —5G **3**
Sword Gdns. *Swin* —5D **10**
Sycamore Gro. *Swin* —5G **5**
Symonds. *Fres* —6H **9**
Syon Clo. *Swin* —1E **5**
Syrett La. *Wro* —5E **19**
Sywell Rd. *Swin* —1E **13**

Tadpole La. *Swin* —1F **3**
Tallis Wlk. *Gran P* —4G **9**
Tamar Clo. *Swin* —3E **5**
Tamworth Dri. *Shaw* —2G **9**
Tanners Clo. *Woot B* —3F **15**
Tansley Moor. *Swin* —6G **13**
Taplow Wlk. *Swin* —5C **12**
Tarka Clo. *Swin* —2F **3**
Tarragon Clo. *Swin* —3A **4**
Tatley Wlk. *Chi* —5B **20**
Tattershall. *Toot* —6A **10**
Taunton St. *Swin* —3E **11**
Tavistock Rd. *Swin* —4D **12**
Tawny Owl Clo. *Swin* —1E **13**
Taylor Cres. *Swin* —3C **6**
Tealsbrook. *Swin* —2F **13**
Teazels, The. *Peat* —5H **3**
Techno Trad. Est. *Swin* —6A **6**
Tedder Clo. *Swin* —5F **5**
Tees Clo. *Swin* —3E **5**
Teeswater Clo. *Shaw* —3G **9**
Telford Way. *Mann* —5B **10**
Templars Firs. *Woot B*
—5G **15**
Templars Way Ind. Est.
Woot B —5F **15**
Temple St. *Swin* —4G **11**
Tenby Clo. *Swin* —6B **12**
Tennyson Rd. *Woot B* —2H **15**
Tennyson St. *Swin* —4F **11**
Tenzing Gdns. *Swin* —4G **5**
Tercliff. *Swin* —2F **13**
Testhouse Roundabout *Swin*
—2E **11**
Tewkesbury Cross
Roundabout. *Toot* —4H **9**
Tewkesbury Way. *Toot* —2E **9**
Thackeray. *Swin* —5F **13**
Thames Av. *Hay W* —2C **4**
Thamesdown Dri. *Swin* —2F **3**
(nr. Elstree Way)
Thamesdown Dri. *Swin* —3A **4**
(nr. Purton Rd.)
Theatre Sq. Swin —3G **11**
(off Regent Pl.)
Theobald St. *Swin* —3F **11**
Thirlmere. *Swin* —6G **13**
Thistly Mead Roundabout.
Eastl —2A **10**
Thomas St. *Swin* —2D **10**
Thornbridge Av. *Swin* —5C **12**
Thorne Rd. *Swin* —5E **13**
Thornford Dri. *Westl* —4A **10**
Thornhill Dri. *Hay W* —1F **3**
Thornhill Ind. Est. *S Mar*
—4G **7**

Thornhill Rd. *S Mar* —5F **7**
Thrushel Clo. *Swin* —3C **4**
Thurlestone Rd. *Swin* —4A **12**
Thurney Dri. *Gran P* —5F **9**
Thyme Clo. *Swin* —4A **4**
Tidworth Clo. *Swin* —5D **10**
Tilley's La. *Swin* —6C **6**
Tilshead Wlk. *Swin* —2F **5**
Timandra Clo. *Swin* —1E **5**
Tinkers Fld. *Woot B* —3F **15**
Tintagel Clo. *Toot* —5H **9**
Tisbury Clo. *Swin* —1G **5**
Tismeads Cres. *Swin* —1G **19**
Titchfield Clo. *Gran P* —4F **9**
Tithe Barn Cres. *Swin*
—6D **10**
Tiverton Rd. *Swin* —6G **5**
Tockenham Way. *Swin* —1F **5**
Tollard Clo. *Swin* —3E **13**
Toothill Roundabout. *Toot*
—4A **10**
Toppers Clo. *G'mdw* —4E **5**
Torridge Clo. *Swin* —3D **4**
Torrington Ct. Swin —4C **12**
(off Welcombe Av.)
Totterdown Clo. *Swin* —2G **13**
Tovey Rd. *Swin* —5E **5**
Towcester Rd. *Swin* —1E **13**
Tower Rd. *Peat* —5H **3**
Tracy Clo. *Swin* —1E **5**
Trajan Clo. *Swin* —6E **7**
Tree Courts Rd. *Swin* —5F **5**
Tregantle Wlk. *Swin* —3E **13**
Tregoze Way. *Pri T* —3F **9**
Trentham Clo. *Swin* —5C **12**
Trent Rd. *Swin* —3E **5**
Trinity Clo. *Swin* —6C **12**
Trinity Ho. *Swin* —6C **12**
Truman Clo. *Swin* —5E **13**
Truro Path. *Toot* —5A **10**
Tryon Clo. *Swin* —1F **21**
Tucknott Rd. *Swin* —6F **11**
Tudor Cres. *Swin* —6D **6**
Tudor Wlk. *Swin* —3B **12**
Tulip Tree Clo. *Swin* —5G **5**
Turl St. *Swin* —3G **11**
Turnball. *Chi* —5A **20**
Turner St. *Swin* —4E **11**
Turnham Grn. *Swin* —6H **9**
Turnpike Rd. *Blun* —1H **3**
Turnpike Roundabout. *Swin*
—2H **3**
Tweed Clo. *Swin* —3D **4**
Twyford Clo. *Swin* —3C **12**
Tyburn Clo. *Gran P* —4H **9**
Tydeman St. *Swin* —6H **5**
Tye Gdns. *Gran P* —4F **9**
Tyndale Path. *Gran P* —4G **9**
Tyneham Rd. *Swin* —3E **13**

Ullswater Clo. *Swin* —6G **13**
Union Row. *Swin* —5H **11**
Union St. *Swin* —4G **11**
Upavon Ct. *Swin* —2G **5**
Upfield. *Swin* —6F **13**
Upham Rd. *Swin* —4H **11**
(in two parts)
Up. Pavenhill. *Pur* —3A **2**
Urchfont Way. *Swin* —3G **5**

Utah Clo. *Swin* —5D **10**
Uxbridge Rd. *Fres* —6G **9**

Vale Vw. *Woot B* —4F **15**
Valleyside. *Swin* —5E **11**
Vanbrugh Ga. *Bro M* —2B **20**
Vasterne Clo. *Pur* —2B **2**
Veitch Ter. *Swin* —2B **20**
Ventnor Clo. *Swin* —3C **4**
Verney Clo. *Swin* —3F **13**
Verulam Clo. *Swin* —1F **13**
Verwood Clo. *Swin* —4C **12**
Vespasian Clo. *Swin* —1E **13**
Vicarage Rd. *Swin* —6D **4**
Victoria Cross Rd. *Wro*
—4D **18**
Victoria Rd. *Swin* —4G **11**
Victory Row. *Woot B* —3F **15**
Vigar Ct. *Swin* —1D **12**
Viking Clo. *Swin* —2F **3**
Villett St. *Swin* —3F **11**
Villiers Clo. *Pri T* —3F **9**
Viscount Way. *S Mars* —1E **7**
Volpe Clo. *Gran P* —5F **9**
Volta Rd. *Swin* —3G **11**
Vowley Vw. *Woot B* —4H **15**

Wagtail Clo. *Swin* —1E **13**
Wainwright Clo. *Swin* —5F **13**
Waite Meads Clo. *Pur* —3C **2**
Wakefield Clo. *Fres* —5G **9**
Walcot Rd. *Swin* —4H **11**
Waldron Clo. *Swin* —5E **13**
Waller Cres. *Swin* —3H **11**
Wallingford Clo. *Toot* —6A **10**
Wallis Dri. *Hay W* —1G **3**
Wallsworth Rd. *Swin* —5C **12**
Walnut Tree Gdns. *Lyd M*
—1D **8**
Walsinsham Rd. *Swin* —3B **12**
Walter Clo. *Swin* —3G **9**
Walton Clo. *Swin* —5B **12**
Walwayne Fld. *Swin* —2C **6**
Wanborough Rd. *Swin* —6E **7**
(in two parts)
Warbeck Ga. *Gran P* —4F **9**
Wardley Clo. *Swin* —5C **12**
Wardour Clo. *Swin* —6A **12**
Wareham Clo. *Toot* —4H **9**
Warminster Av. *Swin* —2G **5**
Warneford Clo. *Toot* —5B **10**
Warner Clo. *Stra* —4D **6**
Warwick Rd. *Swin* —4G **11**
Washbourne Rd. *Woot B*
—4G **15**
Watercrook M. *Westl* —4B **10**
Waterdown Clo. *Hay W* —3A **4**
Water Field. *Pur* —4A **2**
Watery La. *Pri T* —3F **9**
Watling Clo. *Swin* —3C **10**
Wavell Rd. *Swin* —5F **5**
Waverley Rd. *Swin* —6E **7**
Wayne Clo. *Swin* —2E **5**
Wayside Clo. *Swin* —2C **10**
Weavers, The. *Swin* —5H **11**
Webbs Wood. *Peat* —5G **3**
Wedgewood Clo. *Swin* —2E **11**
Weedon Rd. *Swin* —1D **12**

Weirside Av. *Wro* —5F **19**
Welcombe Av. *Swin* —4C **12**
Welford Clo. *Swin* —1E **13**
Well Clo. *Chi* —5A **20**
Wellington St. *Swin* —2G **11**
Wells St. *Swin* —4G **11**
Welton Rd. *Swin* —3B **10**
Wembley St. *Swin* —1D **10**
Wensleydale Clo. *Shaw* —3H **9**
Wentworth Pk. *Fres* —5G **9**
(in three parts)
Wesley Ct. *Woot B* —2H **15**
Wesley St. *Swin* —5G **11**
Westbourne Ct. *Swin* —3D **10**
Westbrook Rd. *Swin* —6E **5**
Westbury Pk. *Woot B* —4F **15**
Westbury Rd. *Swin* —2F **5**
Westcott Pl. *Swin* —4E **11**
Westcott St. *Swin* —4E **11**
W. End Rd. *Swin* —6C **6**
Western St. *Swin* —4G **11**
Westfield Way. *Swin* —3B **4**
W. Highland Rd. *Swin* —2F **3**
Westlea Dri. *Westl* —4A **10**
Westlea Roundabout. *Westl*
—3B **10**
Westlecot Farm Cotts. *Swin*
—1F **19**
Westlecot Rd. *Swin* —6F **11**
Westmead Dri. *Westl* —3B **10**
Westmead Ind. Est. *Westm*
—2B **10**
Westmead Roundabout.
Westm —3B **10**
Westminster Rd. *Toot* —5H **9**
Westmorland Rd. *Swin*
—4H **11**
W. Swindon Cen. *Eastl* —4H **9**
Westview. *Swin* —2D **12**
Westwood Rd. *Swin* —1G **5**
Wey Clo. *Swin* —3E **5**
Weyhill Clo. *Swin* —4D **12**
Whalley Cres. *Wro* —5D **18**
Wharf Rd. *Wro* —2G **17**
Wheatlands. *Hay W* —3C **4**
Wheatstone Rd. *Dor* —5G **13**

Wheeler Av. *Swin* —4H **5**
Whilestone Way. *Swin* —6E **7**
Whitbourne Av. *Swin* —4B **12**
Whitbread Clo. *Shaw* —2H **9**
Whitby Gro. *Swin* —6D **4**
White Beam Ct. *Swin* —5F **5**
White Castle. *Toot* —6A **10**
White Edge Moor. *Swin*
—6G **13**
Whitefield Cres. *Peat* —6G **3**
White Hart Roundabout. *Swin*
—6F **7**
Whitehead St. *Swin* —4F **11**
Whitehill Ind. Est. *Woot B*
—4E **15**
Whitehill La. *Woot B* —2B **14**
Whitehill Way. *Swin* —6F **9**
Whitehorn Clo. *Woot B*
—1G **15**
Whitehouse Rd. *Swin* —1F **11**
(in two parts)
Whitelands Rd. *Swin* —6C **6**
Whiteman St. *Swin* —1G **11**
White Vw. *Swin* —3B **12**
Whitgift Clo. *Gran P* —3F **9**
Whitmore Clo. *Pri T* —3F **9**
Whitney St. *Swin* —4G **11**
Whittington Rd. *Westl* —3A **10**
Whitworth Rd. *Swin* —4E **5**
Wichelstok Clo. *Swin* —6G **11**
Wickdown Av. *Swin* —4D **4**
Wick La. *Swin* —1G **21**
(nr. Marlborough Rd.)
Wick La. *Swin* —3H **13**
(nr. Stratton St Margaret
By-Pass)
Wicks Clo. *Hay W* —2C **4**
Widham. *Pur* —1C **2**
Wigmore Av. *Swin* —5B **12**
Wilcot Av. *Swin* —2H **5**
Wilcox Clo. *Swin* —5G **5**
Wildern Sq. *Swin* —3C **6**
Wilkins Clo. *Swin* —2B **6**
William Robbins Ct. *Swin*
—4C **4**
William St. *Swin* —4E **11**

Willis Way. *Pur* —4B **2**
Willowbrook. *Pur* —3C **2**
Willowherb Clo. *Hay W* —2C **4**
Willows Av. *Swin* —4G **5**
Willow Wlk. *Wro* —5F **19**
Wills Av. *Swin* —1A **12**
Wilmot Clo. *Pri T* —3F **9**
Wilson Clo. *Swin* —1D **4**
Wilson Yd. *Pur* —2B **2**
Wilton Wlk. *Swin* —1G **5**
Wiltshire Av. *Swin* —1E **11**
Wimpole Clo. *Swin* —5C **12**
Winchcombe Clo. *Pri T* —2F **9**
Winchester Clo. *Swin* —6D **6**
Windbrook Mdw. *Swin* —3C **6**
Windermere. *Swin* —6G **13**
Windflower Rd. *Hay W* —2C **4**
Windmill Ct. *Fres* —6G **9**
Windmill Hill Bus. Pk. *Swin*
—6E **9**
Windmill Piece. *Chi* —5A **20**
Windmill Roundabout. *Gran P*
—5F **9**
Windrush Rd. *Swin* —4E **5**
Windsor Clo. *Hook* —3A **8**
Windsor Rd. *Swin* —1A **20**
Wingate Pde. *Swin* —5E **5**
Wingfield. *Swin* —2C **6**
Wingfield Av. *Swin* —1G **5**
Winlaw Clo. *Shaw* —2A **10**
Winsley Clo. *Swin* —2G **5**
Winstanley Clo. *Fres* —5G **9**
Winterslow Rd. *Swin* —2F **5**
Winwick Rd. *Fres* —5H **9**
Wirral Clo. *Swin* —2F **3**
Wiseman Clo. *Swin* —3G **13**
Witfield Clo. *Pur* —2B **2**
Witham Way. *Swin* —3B **6**
Withy Clo. *Woot B* —2F **15**
Withy Mead Roundabout.
Swin —2A **10**
Witts La. *Pur* —2B **2**
Woburn Clo. *Hay W* —1D **4**
Wolsely Av. *Swin* —5B **12**
Woodbine Ter. *Swin* —1E **21**
Woodbury Clo. *Nine E* —1G **9**

Woodchester. *Westl* —4A **10**
Woodford Clo. *Swin* —1G **5**
Wood Hall Dri. *Swin* —4B **4**
Woodland Vw. *Swin* —2F **9**
Woodshaw Mead. *Woot B*
—1A **16**
Woodside Av. *Swin* —4A **12**
Woodside Rd. *S Mars* —1F **7**
Woodstock Rd. *Swin* —6E **7**
Wood St. *Swin* —5H **11**
Wood St. *Woot B* —3F **15**
Woolford Grange. *Woot B*
—1A **16**
Woollaton Clo. *Gran P* —4G **9**
Wootton Bassett Rd. *Swin*
—4C **10**
Wordsworth Clo. *Woot B*
—2H **15**
Wordsworth Dri. *Swin* —3B **6**
Worlidge Dri. *Shaw* —2H **9**
Worsley Rd. *Fres* —5G **9**
Wrenswood. *Swin* —1F **13**
Wright Clo. *Hay W* —1G **3**
Wylte Clo. *Swin* —3D **4**
Wyndale Clo. *Swin* —3C **6**
Wyndham Rd. *Hawk T* —2E **11**
Wyvern Clo. *Swin* —1G **19**

Yardley Clo. *Swin* —5D **4**
Yarmouth Clo. *Toot* —5H **9**
Yarnton Clo. *Nine E* —1G **9**
Yarrow Clo. *Swin* —4A **4**
Yeats Clo. *Swin* —1G **3**
Yellowhammer Clo. *Swin*
—1E **13**
Yeoman Clo. *Midd* —2G **9**
Yeovil Clo. *Swin* —4D **12**
Yew Tree Gdns. *S Mar* —3G **7**
Yiewsley Cres. *Swin* —5D **6**
York Rd. *Swin* —4H **11**

Zora Clo. *Wro* —6E **19**